TEST D'ÉVALUATION DE FRANÇAIS

- **Exercices d'entraînement**
- **Tests blancs**

CHAMBRE DE COMMERCE
ET D'INDUSTRIE DE PARIS

HACHETTE
Français langue étrangère
www.hachettefle.fr

• REMERCIEMENTS

Nous tenons à remercier Mickaël Balcon, Gaëlle Karcher, Laure Soquiço-Brunel et Emmanuel Soyer, de la Direction des Relations Internationales de l'Enseignement de la Chambre de Commerce et d'Industrie de Paris, pour la conception pédagogique de l'ouvrage.
Nous remercions également les professeurs qui ont collaboré à la rédaction des items de cet ouvrage : Valérie Bono-Bellier, Geneviève Bruneteau, Louis-Jean Fesquet, Nathalie Gouyric, Laurent Habert, Jean-Jacques Londechamp, Danielle Maurice, Laure Pineau, Sylvie Pons.

• INTERVENANTS

Conception graphique et mise en page : MÉDIAMAX

Secrétariat d'édition : Cécile Botlan

Illustrations : Catherine Beaumont

Couverture : Alain Vambacas

ISBN : 978-2-01-155166-5

AVANT-PROPOS

Cet ouvrage d'entraînement au TEF, Test d'Évaluation de Français conçu par la Chambre de Commerce et d'Industrie de Paris, s'adresse à toute personne qui souhaite évaluer de manière globale son niveau de français.

Il propose une série de documents écrits *(articles de presse, faire-part, graphiques, etc.)* accompagnés de documents sonores *(messages téléphoniques, informations radiophoniques, etc.)* permettant de s'entraîner à la compréhension du français écrit et du français parlé et de se familiariser avec les consignes et les questions du TEF.

L'ouvrage se divise en quatre parties :

- « **LE TEF** » présente le Test d'Évaluation de Français (structure, modalités d'inscription...) ;
- « **L'ENTRAÎNEMENT** » propose des exercices de compréhension écrite et orale de différents niveaux, et guide l'utilisateur vers une compréhension progressive des documents ;
- « **LES TESTS** » offrent deux modèles d'épreuves présentées aux candidats le jour de l'examen (tests blancs) ;
- « **L'AUTO-ÉVALUATION** » permet d'obtenir une première évaluation de son niveau de français grâce à la grille de niveaux établie en correspondance avec le Cadre européen commun de référence du Conseil de l'Europe.

Pour toutes les activités de compréhension orale, l'ouvrage est accompagné de deux cassettes audio sur lesquelles se trouvent les exercices d'entraînement et la partie orale des tests. La transcription des enregistrements ainsi que les corrigés des exercices et des tests sont regroupés en annexe, en fin d'ouvrage. Un index des types d'exercices permet de travailler à son rythme en fonction des objectifs fixés.

Cet ouvrage est ainsi conçu à la fois comme un premier outil d'évaluation des connaissances en français et comme un manuel de préparation au TEF.

Guilhène Maratier-Decléty
Directeur des Relations Internationales de l'Enseignement
de la Chambre de Commerce et d'Industrie de Paris

SOMMAIRE

LE TEF (TEST D'ÉVALUATION DE FRANÇAIS)

L'ENTRAÎNEMENT

SOMMAIRE

I Présentation générale

Qu'est-ce que le TEF ?

Le **TEF** est un Test d'évaluation de français. Il mesure vos connaissances et vos compétences en **français général**, depuis le niveau élémentaire jusqu'au niveau supérieur. Il permet de vous situer sur une grille de niveaux (*cf.* p. 92).

À qui s'adresse le TEF ?

Le **TEF** est proposé à toute personne dont la langue maternelle n'est pas le français et qui maîtrise certaines connaissances linguistiques et communicatives de base.

• **Vous êtes étudiant,** le TEF vous permet de :
– faire le bilan de vos points forts et de vos points faibles,
– mesurer vos progrès en français,
– vous inscrire dans une université ou une grande école francophone,
– avoir une attestation de vos connaissances en français reconnue par de nombreuses universités, grandes écoles et entreprises.

• **Vous êtes salarié,** le TEF vous permet de :
– justifier de votre niveau en français,
– situer vos connaissances par rapport à celles demandées dans votre domaine d'activité,
– optimiser vos chances dans votre profession (stage, recrutement, promotion, mobilité).

Qui fait passer le TEF ?

• **Des établissements d'enseignement supérieur (universités, grandes écoles…)** : pour vérifier le niveau de français des étudiants désireux de s'inscrire dans une formation spécifique ; pour faciliter l'accueil des étudiants dans le cadre de programmes d'échanges internationaux ; pour tester rapidement, objectivement, simultanément et de manière identique un grand groupe de candidats.

• **Des centres de langues, des écoles professionnelles** : pour placer les candidats en groupe de niveau ; pour valider des formations linguistiques ; pour offrir aux candidats une attestation internationale de leur niveau de français.

• **Des entreprises** : pour évaluer objectivement le niveau de français de leurs collaborateurs et mesurer l'évolution de leur performance ; pour éviter d'organiser un entretien de niveau de français difficile à mettre en place.

II Structure du TEF

Le TEF se compose de deux blocs d'épreuves :

3 ÉPREUVES OBLIGATOIRES	
Compréhension écrite	1 heure
Compréhension orale	40 minutes
Lexique et structure	30 minutes

2 ÉPREUVES FACULTATIVES	
Expression écrite	1 heure
Expression orale	35 minutes

A Les épreuves obligatoires

Les trois épreuves obligatoires se présentent sous la forme d'un questionnaire à choix multiple (QCM) composé de 150 questions au total. Les questions sont de difficultés différentes.
Ces trois épreuves se passent au cours d'une seule séance, d'une durée de 2 h 30 (2 h 10 d'épreuves + 20 minutes d'accueil et de formalités).

COMPRÉHENSION ÉCRITE (1 heure – 50 questions)	Objectifs	Types de textes
Section A 10 questions	**Identifier un document :** reconnaître le type, la fonction et l'origine de documents écrits.	Messages courts, publicités, petites annonces, notices d'emploi, cartes postales…
Section B 25 questions	**Comprendre en détail divers documents :** déterminer les intentions de l'auteur, les arguments avancés, les allusions, le style et le registre de langue employés.	Graphiques, articles de presse sur des sujets quotidiens, sur des sujets polémiques, lettres professionnelles…
Section C 10 questions	**Comprendre la logique d'un document.**	Textes à trous. Textes dans le désordre.
Section D 5 questions	**Comprendre le sens général d'une phrase** et diverses manières de la formuler.	Phrases à reformuler.

COMPRÉHENSION ORALE		Objectifs	Types de documents
40 minutes – 60 questions	*Section A* 8 questions	**Associer des illustrations à des messages oraux.**	Dialogues, annonces, récits de vacances, anecdotes…
	Section B 26 questions	**Comprendre des messages courts** : identifier la situation de communication.	Messages sur répondeur téléphonique, annonces publiques, informations courtes extraites du journal radio…
	Section C 16 questions	**Comprendre des messages longs** : déterminer les intentions de communication, les opinions, les sentiments et les attitudes exprimés.	Extraits de débats radio, de conversations, d'interviews, récits d'événements, critiques de spectacle…
	Section D 10 questions	**Reconnaître et différencier des sons,** des intonations.	Phrases courtes.

LEXIQUE / STRUCTURE		Objectifs	Types d'exercices
30 minutes – 40 questions	*Section A* 10 questions	Connaissances lexicales et compréhension du sens d'une phrase.	Phrases isolées.
	Section B 5 questions	Compréhension du sens d'un mot.	Textes courts avec des mots soulignés à substituer.
	Section C 20 questions	Connaissances des structures grammaticales françaises.	Phrases isolées.
	Section D 5 questions	Compréhension des détails d'un texte et capacité à repérer des erreurs grammaticales.	Textes courts avec des erreurs grammaticales.

Pour chaque épreuve, vous prenez connaissance d'un fascicule et vous reportez vos réponses sur une *fiche de réponses*[1]. Une seule épreuve est distribuée à la fois. Les épreuves se déroulent l'une après l'autre.

L'ÉVALUATION

Pour chaque question, vous avez le choix entre deux, quatre ou cinq réponses, mais une seule réponse est exacte. Le barème appliqué est le suivant :

Bonne réponse	3 points
Pas de réponse	0 point
Annulation de réponse	0 point
Mauvaise réponse	– 1 point
Réponse multiple	– 1 point

1. Un modèle de *fiche de réponses* est reproduit pour chaque test pp. 127 et 128.

Il faut bien lire les questions et bien réfléchir avant de répondre car toute réponse au hasard peut être pénalisée. Il est également important de bien savoir gérer son temps pour arriver au bout de l'épreuve.
Vous obtiendrez une première attestation de niveau après la passation des épreuves obligatoires.

B Les épreuves facultatives

Les deux épreuves facultatives ne peuvent être passées qu'en complément des épreuves obligatoires. La durée totale de ces deux épreuves est de 1 h 35. Toutefois, vous pouvez choisir de ne passer qu'une de ces deux épreuves, ou les deux à la fois, jusqu'à un an après la date de passation des épreuves obligatoires. Au-delà de cette limite, vous serez dans l'obligation de repasser les épreuves obligatoires.
Vous obtiendrez une seconde attestation de niveau après la passation des épreuves facultatives.

EXPRESSION ÉCRITE		Objectifs	Types de textes à produire
1 heure	*Section A*	**Raconter une histoire** en utilisant les temps du passé.	Court article de presse (environ 100 mots).
	Section B	**Exprimer son point de vue** et argumenter pour le défendre.	Exposé de problèmes de la vie courante (environ 200 mots).

EXPRESSION ORALE		Objectifs	Types de documents-supports
35 minutes	*Section A*	**Recueillir des informations** auprès d'un interlocuteur ; poser des questions.	Annonces, lettres, publicités, tableaux chiffrés…
	Section B	• **Présenter oralement le contenu d'un document** lors d'un bref exposé. • **Argumenter pour convaincre** ou défendre son point de vue. Apprécier et comparer.	Sondages, dessins, extraits d'articles de presse polémiques…

L'évaluation

Les examinateurs vous évalueront sur :

• **vos capacités à communiquer :**
– à l'écrit : adéquation de vos textes aux situations proposées, logique de votre discours, organisation et clarté des informations…
– à l'oral : adéquation de votre discours oral au sujet proposé, pertinence de vos informations, durée de vos exposés, qualité du dialogue avec vos examinateurs…

• **des critères linguistiques :**
– à l'écrit : syntaxe, lexique, orthographe et ponctuation ;
– à l'oral : syntaxe, lexique, élocution.

III Interprétation des résultats

Les *Épreuves obligatoires*, comme les *Épreuves facultatives*, sont notées globalement sur **900 points**, répartis sur 7 **niveaux** d'évaluation. Ces 7 niveaux sont établis en correspondance avec les 6 niveaux communs de référence définis par le Conseil de l'Europe.

Les résultats du TEF vous sont communiqués rapidement par voie postale sous forme d'une attestation précise et individuelle. Si vous avez passé l'ensemble du TEF – les épreuves obligatoires et les épreuves facultatives – vous recevrez deux attestations.
L'attestation donne :
– la répartition des points obtenus,
– le niveau atteint,
– un commentaire de vos compétences réelles en français.

Vous pouvez consulter la grille de niveaux dans la partie L'auto-évaluation (p. 92).

IV Modalités d'inscription

Vous avez la possibilité de vous inscrire à une session du TEF :
– soit auprès de la Chambre de Commerce et d'Industrie de Paris,
– soit directement auprès des centres agréés dans le monde entier.

Les inscriptions sont acceptées toute l'année.
Aucun diplôme n'est requis pour se présenter au TEF.

Les contacts

Pour tout renseignement complémentaire, vous pouvez vous adresser à :

TEF
Chambre de Commerce et d'Industrie de Paris
Direction des Relations Internationales de l'Enseignement
28, rue de l'Abbé Grégoire
75279 PARIS Cedex 06
FRANCE

Téléphone : + 33 1 49.54.28.64
Fax : + 33 1 49.54.28.90
Courriel : esoyer@ccip.fr
http://www.fda.ccip.fr/sinformer/TEF

PRÉSENTATION DES EXERCICES

Cette partie propose un entraînement à deux épreuves obligatoires du TEF : la *compréhension écrite* et la *compréhension orale*. Elle a pour objectif de vous orienter dans votre approche du français écrit ou du français parlé en vous donnant des conseils et des indications. Il s'agit aussi de vous amener progressivement à répondre de façon juste aux questions TEF.

L'entraînement comprend 10 exercices de compréhension écrite et 10 exercices de compréhension orale. Les exercices sont classés par objectifs et correspondent aux différentes sections des épreuves du TEF. Ils sont de niveaux différents pour vous entraîner, quelles que soient vos compétences en français.

Chaque exercice se présente sous la même forme :
- un ou plusieurs documents authentiques, écrits ou oraux ;
- des activités guidées pour apprendre à décoder rapidement les documents ;
- des questions à choix multiples de type TEF.

Les corrigés des exercices sont proposés à la page 94. Les documents oraux sont retranscrits à la page 111.

Afin de vous guider dans votre entraînement, vous trouverez les pictogrammes suivants :

Lecture / Observation globale

Lecture rapide

Lecture sélective

Écoute de l'enregistrement

Écoute globale

Écoute sélective

Questions TEF

I Compréhension écrite guidée

A Identifier un document

Conseils

Lecture globale

Prenez connaissance de la forme du document écrit :
- sa présentation ;
- la longueur du texte ;
- les titres : gros titres, sous-titres, titres de paragraphes, intertitres ;
- les types de caractères : italique, gras….

Lecture rapide

- Lisez le texte dans son entier, rapidement.
- Ne vous arrêtez pas à des mots ou des structures complexes ou inconnues.
- Repérez les éléments de communication essentiels : qui écrit ? à qui ? pourquoi ?
- Relevez les mots ou expressions clés du document : noms, chiffres, dates…

Exercice 1

doc. 1

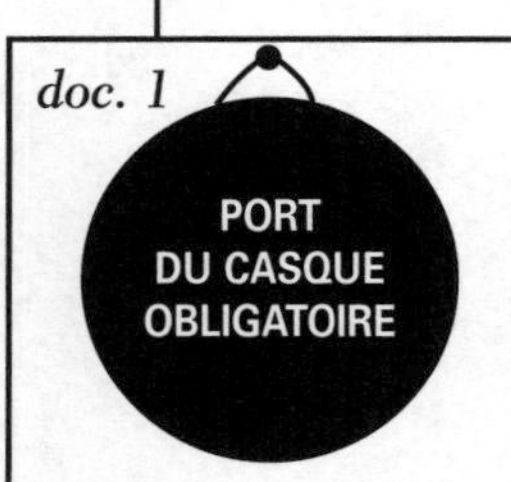
PORT
DU CASQUE
OBLIGATOIRE

doc. 2

INTERDICTION FORMELLE
DE MARCHER
SUR LES PELOUSES

Que représentent ces deux documents ?

Document 1 : ....
....
Document 2 : ....
....

? Questions TEF

Pour chaque question, choisissez la réponse exacte.

Question 1

Document 1

Où peut-on trouver ce panneau ?
- ☐ A À l'école.
- ☐ B À la piscine.
- ☐ C Sur un chantier.
- ☐ D Sur un terrain de sport.

Question 2

Document 2

Où peut-on trouver ce panneau ?
- ☐ A Dans un jardin public.
- ☐ B Dans un musée.
- ☐ C Dans un parc naturel.
- ☐ D Dans un laboratoire.

EXERCICE 2

1. Regardez le document ci-contre.
a) Qu'est-ce que vous remarquez en premier ?

....

b) D'après le titre, de quoi va-t-on parler ?

....

2. Selon vous, à qui s'adresse ce document ?

....

3. Est-ce que le message est au passé, au présent ou au futur ?

....

> **NOCES DE DIAMANT**
>
> *3 novembre 1938 – 3 novembre 1998*
>
> Entourés de leurs enfants
> et petits-enfants
>
> Jacques et Hélène ESPEILLAC
>
> ont célébré soixante années
> de bonheur
>
> 254, route de Perpignan
> 34000 Montpellier

? QUESTIONS TEF

➩ Pour chaque question, choisissez la réponse exacte.

QUESTION 3

Ce message est
- ☐ **A** un faire-part.
- ☐ **B** un carton d'invitation.
- ☐ **C** un avis de recherche.
- ☐ **D** une annonce publicitaire.

QUESTION 4

Le message est publié parce que
- ☐ **A** Jacques et Hélène vont fêter leurs anniversaires.
- ☐ **B** Jacques et Hélène ont annoncé leur mariage.
- ☐ **C** Jacques et Hélène préparent une fête de famille.
- ☐ **D** Jacques et Hélène ont célébré leurs 60 ans de mariage.

EXERCICE 3

1. Observez ces documents. Pourquoi est-ce qu'on utilise différents types de caractères ?

....

> **UNE HISTOIRE DE LA MONNAIE**
>
> Le jour de ma retraite, je me suis lancé dans un grand projet : retrouver les différentes pièces de monnaie et les billets qui ont eu cours en France.
> Pouvez-vous m'aider à compléter mon Histoire de France de la monnaie, en m'envoyant des documents ou des articles de journaux portant sur ce sujet ? Merci d'avance.
>
> Alain D. 33000 Bordeaux
>
> *doc. 1*

> **AMATEUR DE CARTES POSTALES**
>
> Depuis que je suis retraité, ma seule distraction est de collectionner les cartes postales. Auriez-vous la gentillesse de m'envoyer celles dont vous n'avez plus l'usage, même si elles sont en mauvais état ? Merci.
>
> Roger M. 67000 Strasbourg
>
> *doc. 2*

2. Faites une première lecture des deux documents et relevez les informations nécessaires pour remplir la grille suivante :

	doc. 1	doc. 2
Nom	Alain D.	
Situation actuelle		
Passe-temps		

3. Relisez les documents et répondez aux questions suivantes :

a) Où peut-on trouver ces documents ? ....

b) À qui ces documents sont-ils destinés ? ....

c) Dans quel but ont-ils été écrits ? ....

? Questions TEF

➩ Pour chaque question, choisissez la réponse exacte.

Question 5

Dans quelle rubrique trouve-t-on ces documents ?
- ☐ A Offres de services.
- ☐ B Débats.
- ☐ C Conseils.
- ☐ D Courrier des lecteurs.

Question 6

Ces messages sont
- ☐ A des remerciements.
- ☐ B des protestations.
- ☐ C des demandes de service.
- ☐ D des témoignages.

B Comprendre en détail divers documents

Conseils

Lecture globale

- Prenez connaissance de la forme du document écrit :
– sa présentation,
– la longueur du texte,
– les titres,
– les caractères utilisés…
- Servez-vous du titre pour anticiper le contenu.

Lecture rapide

- Lisez le texte dans son entier, rapidement.
- Ne vous arrêtez pas à des mots ou des structures complexes ou inconnues.
- Posez-vous les questions fondamentales :
– De quoi le document parle-t-il ?
– À qui s'adresse-t-il ?
– Quelle est la position de l'auteur ?
– Y a-t-il des éléments positifs et négatifs ?
– Y a-t-il des conséquences ?…
- Relisez attentivement l'introduction et la conclusion.

Conseils

Lecture sélective

- Relevez les mots et phrases-clés exprimant les idées directrices du texte.
- Soulignez les mots-liens visibles indiquant l'articulation du texte *(mais, et, donc, ainsi, en effet, parce que…).*
- En fonction des questions posées, allez chercher l'information paragraphe par paragraphe.

EXERCICE 4

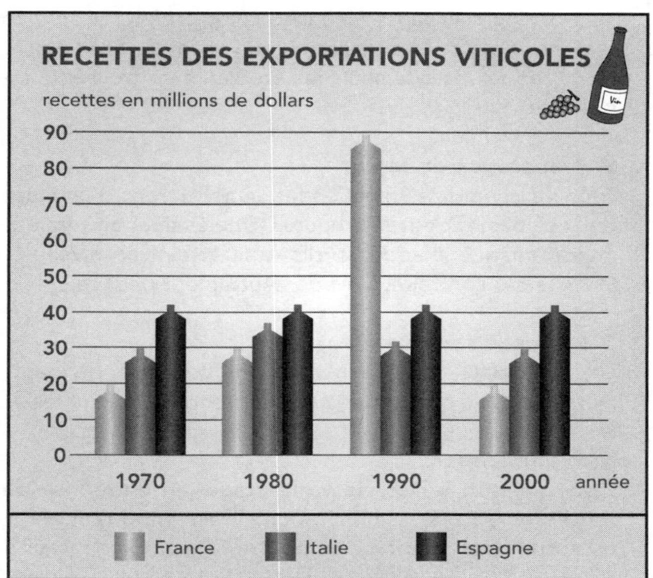

1. Regardez ce document. Quels sont les quatre éléments qui composent ce graphique ?

1 : le titre

2 : ....

3 : ....

4 : ....

2. Reformulez le titre de ce document. Aidez-vous des indices graphiques.

....

....

3. Observez le graphique et classez les pays en fonction de leurs recettes en 1990 et en 2000.

	1990	2000
Meilleures recettes		
Recettes moyennes		
Plus mauvaises recettes		

? QUESTIONS TEF

➪ Pour chaque question, choisissez la réponse exacte.

QUESTION 7

Entre 1980 et 1990, les recettes viticoles de la France

- ☐ A ont doublé.
- ☐ B ont diminué.
- ☐ C ont triplé.
- ☐ D ont stagné.

QUESTION 8

D'après ce graphique, les recettes de l'Espagne sont

- ☐ A irrégulières.
- ☐ B stables.
- ☐ C croissantes.
- ☐ D décroissantes.

QUESTION 9

Les exportations de la France ont atteint des sommets

- ☐ A en 1970.
- ☐ B en 1980.
- ☐ C en 1990.
- ☐ D en 2000.

EXERCICE 5

INFORMATIONS SUR *VOYAGER AUTREMENT*

1. Sélection
La sélection des candidats aura lieu sept semaines environ avant le départ.
À l'issue de cette réunion et d'un entretien individuel, les candidats retenus seront prévenus dans les trois jours suivants. Une liste complémentaire sera constituée pour permettre, en cas de désistement, d'offrir ses chances au maximum de candidats.
Nous rappelons que seuls les étudiants en troisième cycle et de nationalité européenne peuvent postuler.

2. Préparation du séjour
Tous les candidats sélectionnés bénéficieront d'un stage intensif de cours de langue, à raison de deux semaines de trente heures. Une évaluation sera effectuée à l'issue de cette formation et il est important que chaque candidat ait atteint un niveau correct de maîtrise dans la langue choisie. Dans le cas contraire, *Voyager Autrement* peut rejeter cette candidature.

3. Protection sociale
Les candidats sélectionnés seront couverts pendant toute la durée du stage par *Voyager Autrement*. La couverture sociale prend en charge les accidents du travail et le rapatriement.

4. Rémunération
Quel que soit le lieu de votre stage (en entreprise ou dans des sociétés de services) vous ne toucherez aucune rémunération. Il est important de respecter les clauses du contrat, à savoir qu'aucun retour anticipé ne pourra être envisagé (sauf cas médical grave).

1. Observez le titre général et les titres de paragraphes. Faites des hypothèses sur le type de document.

....

2. Lisez rapidement le texte et relevez trois ou quatre mots-clés.

....

3. Relisez les paragraphes un à un et répondez aux questions suivantes :

a) Qui est sélectionné ?

....

b) Comment est-on préparé à ce séjour ?

....

c) Est-ce que les participants sont assurés ?

....

d) Est-ce que les participants sont payés ?

....

? QUESTIONS TEF

Pour chaque question, choisissez la réponse exacte.

QUESTION 10

Il s'agit
- ☐ A d'un programme de vacances.
- ☐ B des règles de participation à un concours.
- ☐ C d'un contrat de travail.
- ☐ D d'un programme pour aller travailler à l'étranger.

QUESTION 11

Il concerne
- ☐ A tout le monde.
- ☐ B les étudiants en langues.
- ☐ C les étudiants européens.
- ☐ D les demandeurs d'emplois.

QUESTION 12

En cas de maladie grave
- ☐ A les frais de scolarité seront remboursés.
- ☐ B le voyage sera annulé.
- ☐ C les candidats pourront être rapatriés.
- ☐ D *Voyager Autrement* décline toute responsabilité.

QUESTION 13

On leur propose
- ☐ A un travail bien payé.
- ☐ B une première expérience professionnelle à l'étranger.
- ☐ C des vacances pas chères.
- ☐ D un nouveau type de couverture sociale.

EXERCICE 6

Institut National d'Assurance Maladie-Invalidité
Service des remboursements
Avenue de Tervuren, 211
1150 BRUXELLES

MADAME VAN BUYTEN
Rue de Louvain, 84
1140 EVERE

Bruxelles, le 30 août 2000

Madame,

C'est avec plaisir que nous vous envoyons votre nouveau relevé de remboursements. Vous constaterez que nous avons changé sa présentation afin de vous en faciliter la compréhension.

Dans le souci d'améliorer notre service, nous avons conçu un document simple et lisible, qui vous permet de retrouver facilement les informations essentielles concernant vos remboursements :

– la nature des prestations dont vous-même ou vos ayants droit avez bénéficié (frais pharmaceutiques, consultations, soins, etc.),
– le tarif de base de remboursement de chaque consultation, soin ou médicament,
– le taux de remboursement appliqué en fonction de votre situation (ex. : maladie, maternité, invalidité, accident du travail…),
– le montant versé par la caisse d'assurance maladie.

Dans l'espoir que ce nouveau relevé vous satisfera, nous restons à votre disposition pour tout renseignement complémentaire.

Je vous prie d'agréer, Madame, l'expression de mes salutations distinguées.

La responsable du service
Julie Drumel

1. De quel type de document s'agit-il ? Pourquoi ?

. . . .

2. Relisez le document rapidement et répondez aux questions :

a) Qui est l'expéditeur ? ....

b) D'où écrit-il ? ....

c) Qui est le destinataire ? ....

d) Où est-ce qu'il habite ? ....

3. Répondez aux affirmations suivantes.	**Oui**	**Non**
Ce document est joint à un autre document.	☐	☐
On annonce un changement complet.	☐	☐
On souhaite expliquer les choses clairement.	☐	☐
Des aides supplémentaires seront accordées.	☐	☐
Il est impossible d'avoir d'autres informations.	☐	☐

? Questions TEF

➩ **Pour chaque question, choisissez la réponse exacte.**

Question 14

L'Institut National d'Assurance Maladie-Invalidité a décidé
☐ **A** d'établir un nouveau barème des remboursements.
☐ **B** d'élargir les remboursements aux membres de la famille.
☐ **C** de dire enfin la vérité sur les remboursements.
☐ **D** de faire le choix de la transparence dans ses documents.

Question 15

Cette lettre a pour but
☐ **A** d'annoncer une augmentation des remboursements.
☐ **B** de rendre plus explicites les termes d'un contrat.
☐ **C** d'accompagner un nouveau type de document.
☐ **D** de clarifier les relations entre assureur et assuré.

Question 16

Dorénavant, l'assuré recevra
☐ **A** un calendrier des visites prévues.
☐ **B** un récapitulatif détaillé pour chaque remboursement.
☐ **C** son dossier médical complet.
☐ **D** le remboursement de tous les frais engagés.

Exercice 7

1. Avant de lire, regardez le document p. 19 et répondez aux questions suivantes :

a) Comment est présenté le document ?

....

b) De quel type de texte s'agit-il ?

....

LE GOLF DANS LES CITÉS

Banlieue : 2 400 enfants de Seine-Saint-Denis ont suivi des cours d'initiation

Vendredi de fin d'été en Seine-Saint-Denis, département le plus agité de France. Au loin, le bruit de la cité. Sur un terrain de football, Aziz, 16 ans, survêtement retroussé et casquette sur la tête, tente un drive. Depuis le début de l'été, 2 400 jeunes des environs ont en effet découvert le golf dans le cadre de l'opération « Ville-Vie-Vacances ».

Un outil éducatif

« J'aimerais qu'on arrête de croire que ce jeu est réservé aux riches et aux snobs. » Sean Keagan, Gallois de 44 ans, joueur professionnel depuis plus de 20 ans, se bat pour démocratiser le golf. Il vit en France depuis 8 ans et a créé une association. En fait, faire partager sa passion le motive plus que les tournois professionnels : *« C'est un très bon outil éducatif. À la différence des sports collectifs, le golf apprend aux jeunes à se responsabiliser. Quand le joueur fait un mauvais score, il ne peut s'en prendre qu'à lui-même ! »*
D'ailleurs, Aziz, qui n'est pas mécontent de son swing, est d'accord : *« Je viens après le foot, ça me repose ! » « Moi aussi, je viens pour la sérénité que procure le golf »*, ajoute Luc, 16 ans. *« Moi, quand je rate la balle, je m'énerve*, avoue Khaled, 10 ans, *mais bon, maintenant j'arrive à me contrôler. »* De plus, pour les animateurs sportifs, le golf est un bon moyen d'intégration : *« Quand on les amène sur de vrais parcours, ils font des efforts vestimentaires. Ils se mélangent aux autres joueurs et les barrières sociales tombent. »*

Engouement

Mais pour Yves Rameau, membre de l'association de Sean Keagan, il faut faire attention. *« On a donné goût au golf à ces jeunes des banlieues. Si on les en prive, on ne va faire qu'accentuer leur sentiment d'inégalité »*, prévient-il. C'est pourquoi les autorités, surprises par cet engouement, ont été obligées de s'activer.

En attendant, l'association de Sean Keagan ne baisse pas les bras. Ainsi, aidée de quelques subventions, elle va continuer d'initier les jeunes des alentours.

2. Regardez le titre général et les titres de paragraphes : dans quelle rubrique peut-on trouver ce type de document ?

....

3. Lisez le sous-titre de l'article (en italique) et remplissez la grille suivante :

Qui ?	
Quoi ?	
Où ?	en Seine-Saint-Denis

4. Quelles informations supplémentaires apporte l'introduction ?

....

5. Repérez l'articulation du texte en soulignant les mots-liens.

6. Relisez le premier paragraphe et relevez les différents arguments utilisés en faveur du golf par les animateurs et par les jeunes :

Arguments des animateurs	Arguments des jeunes
– c'est un très bon outil éducatif *(apprend aux jeunes à se responsabiliser)*…	

7. Relisez le texte et dites si les affirmations suivantes sont vraies ou fausses.

	Vrai	Faux
a) Les jeunes des cités s'entraînent au golf sur un terrain de foot.	☐	☐
b) Sean Keagan prépare les enfants aux compétitions de golf.	☐	☐
c) L'opération de l'association a suscité l'enthousiasme des jeunes.	☐	☐
d) Les jeunes des cités auront encore l'occasion de jouer au golf.	☐	☐

? Questions TEF

Pour chaque question, choisissez la réponse exacte.

Question 17

Ce texte nous informe que
☐ **A** le golf a été apprécié des jeunes des cités.
☐ **B** le golf a plus de succès que les sports collectifs dans les cités.
☐ **C** le golf demeure un sport réservé aux plus riches des cités.
☐ **D** les cités accueillent de plus en plus de tournois professionnels.

Question 18

S'initier au golf permet aux jeunes des cités
☐ **A** d'acquérir l'esprit d'équipe.
☐ **B** de faire confiance aux adultes, au professeur en particulier.
☐ **C** de trouver leur place dans la société et de se prendre en charge.
☐ **D** de se préparer aux tournois professionnels.

Question 19

Sean Keagan, à l'origine de cette opération, est
☐ **A** professeur de golf au Pays de Galles.
☐ **B** conseiller régional.
☐ **C** joueur professionnel de golf.
☐ **D** joueur amateur de golf en France.

Question 20

L'opération de l'association
☐ **A** s'arrêtera en septembre.
☐ **B** sera poursuivie par les écoles des cités.
☐ **C** sera interrompue jusqu'à l'été prochain.
☐ **D** continuera à l'aide de subventions.

C Comprendre la logique d'un document

Conseils

Lecture rapide

- Prenez connaissance de la totalité du texte.
- Posez-vous les questions fondamentales : qui ? quoi ? où ? comment ? pourquoi ?...

Lecture sélective

- Relevez les mots et phrases-clés exprimant les idées directrices du texte.
- Repérez les mots-liens (*mais, et, parce que*...), les reprises (pronom personnel, démonstratif...).

Exercice 8

LES VACANCES DES FRANÇAIS

En 1988, 20 millions de Français se déplaçaient ; aujourd'hui, ils sont 34 millions. ...*(21)*... Les autres, soit 26 millions, restent chez eux. ...*(22)*... En effet, 37 % des plus de 70 ans voyagent. Ces chiffres des dix dernières années révèlent ainsi le phénomène suivant : ...*(23)*... Quant aux sédentaires, ils décident volontairement, pour des raisons autres que financières de rester à la maison. Ils veulent par exemple profiter de leur jardin ou recevoir leurs amis. ...*(24)*... Ceux qui prennent des vacances le font le plus souvent en été, pour des séjours de plus en plus courts. ...*(25)*... Les mois de juillet et août concentrent encore les 4/5 des vacanciers. Les escapades hivernales sont en augmentation. Les vacances d'été à la française c'est de quitter une grande ville avec sa voiture.

D'après *Ça m'intéresse.*

Lisez l'article ci-dessus et classez les différentes informations dans la grille suivante.

	Ceux qui partent en vacances	Ceux qui restent à la maison
Expression utilisée	*vacanciers*	
Nombre (millions)		
Période choisie		
Caractéristiques/ Motivations		

? Questions TEF

➾ **Dans l'article p. 21, cinq phrases ont été supprimées. Retrouvez chacune d'elles parmi les phrases qui vous sont proposées.**

Question 21

☐ A Certains n'aiment pas voyager seuls.
☐ B Les uns ne quittent pas leur domicile de toute leur vie.
☐ C Ceux-ci aiment rester à la maison.
☐ D Ces derniers partent au moins une fois par an.

Question 22

☐ A Parmi eux, il n'y a que de vieilles personnes.
☐ B Et il ne s'agit pas seulement de gens âgés.
☐ C Parmi eux, aucun n'est retraité.
☐ D Ceux qui restent sont tous très vieux.

Question 23

☐ A une diminution importante des séjours touristiques.
☐ B une augmentation significative des départs en vacances.
☐ C une réduction des circuits organisés.
☐ D un retour aux vacances sédentaires.

Question 24

☐ A Ils en profitent pour voyager.
☐ B Ils aiment aller au cinéma sans faire la queue.
☐ C Ils préfèrent les circuits touristiques organisés.
☐ D Ils craignent de s'ennuyer chez eux.

Question 25

☐ A C'est pourquoi ils veulent des vacances économiques.
☐ B Alors ils partent pour un ou deux mois.
☐ C Ils s'offrent ainsi au maximum vingt jours de vacances.
☐ D Par conséquent, ils recherchent des séjours culturels.

Exercice 9

? Questions TEF

➾ **Dans les questions TEF suivantes, les phrases d'un texte sont mises en désordre. Reconstituez ces textes en mettant les phrases dans l'ordre.**

• *Question* 26

1. Lisez le titre de la question TEF 26 : de quoi s'agit-il ?

....

2. Repérez le sujet de la phrase et les verbes utilisés.

....

QUESTION 26

FAIRE-PART
1. ont la joie de vous annoncer la naissance de leur petit garçon
2. Jérôme et Stéphanie
3. Samuel
4. le 25 février 2000 à la clinique du Parc à Lille

☐ A 2 – 3 – 1 – 4 ☐ C 2 – 1 – 3 – 4
☐ B 4 – 2 – 1 – 3 ☐ D 2 – 3 – 4 – 1

• *Question 27*

3. Lisez la question TEF 27. Relevez les verbes et classez-les par ordre logique de l'action.

....

QUESTION 27

RECETTE GOURMANDE : « COULIS AUX POIRES »
1. Laissez refroidir et servez le coulis nature ou en nappage.
2. Ajoutez la vanille et le jus de citron.
3. Épluchez les poires, coupez-les et mixez-les avec le sucre.
4. Faites cuire dans le four à micro-ondes 10 minutes.

☐ A 4 – 3 – 1 – 2 ☐ C 4 – 2 – 1 – 3
☐ B 3 – 2 – 4 – 1 ☐ D 3 – 4 – 1 – 2

• *Question 28*

4. Lisez le mot introducteur de la question TEF 28 : qu'est-ce que vous en déduisez ?

....

5. Retrouvez la formule de politesse.

....

6. Repérez l'objet de la lettre.

....

7. Relevez les deux expressions qui évoquent l'objet de la lettre.

....

QUESTION 28

MONSIEUR,
1. Comme j'ai moi-même des échéances à honorer, je vous serais reconnaissant de vous acquitter de ce dû.
2. Dans l'attente du règlement, je vous adresse, Monsieur, mes salutations distinguées.
3. Je me permets de vous rappeler que la facture de 856 euros que je vous ai adressée n'est pas encore réglée.
4. Sans réponse de votre part, je serai dans l'obligation d'entamer un recours en justice.

☐ A 1 – 2 – 4 – 3 ☐ C 4 – 3 – 2 – 1
☐ B 3 – 2 – 1 – 4 ☐ D 3 – 1 – 4 – 2

D Comprendre le sens général d'une phrase

Conseils.

• Avant de lire les quatre propositions de reformulation, réfléchissez au sens de la phrase proposée.

• Lisez les quatre propositions de reformulation et comparez-les avec la phrase proposée.

Exercice 10

? Questions TEF

Douze phrases sont proposées et, pour chacune d'elles, quatre reformulations.
➭ Pour chaque question, choisissez la reformulation qui a le sens le plus proche de la phrase originale.

Question 29

Je vous prie de me parler sur un autre ton !
☐ A S'il vous plaît, pourriez-vous parler plus fort ?
☐ B Je vous demande poliment de baisser d'un ton.
☐ C Je vous demande de me parler plus poliment.
☐ D Je vous prie d'arrêter de chanter.

Question 30

Si nous n'avons rien dit, c'est simplement que nous étions d'accord.
☐ A Nous nous étions mis d'accord pour ne rien dire.
☐ B Nous n'avons rien dit pour bien montrer notre désaccord.
☐ C Nous n'étions pas d'accord et nous n'avons rien dit.
☐ D Nous n'avons rien dit parce que nous étions d'accord.

Question 31

Il faut que je retourne aux États-Unis.
☐ A Je dois de nouveau aller aux États-Unis.
☐ B Il faut que je rentre des États-Unis.
☐ C Il est nécessaire que je revienne aux États-Unis.
☐ D Je suis obligé de partir aux États-Unis.

Question 32

Nous travaillerons vite afin que ce soit fini.
☐ A Nous travaillerons vite pour que ce soit fini.
☐ B Nous travaillerons vite en attendant que ce soit fini.
☐ C Nous travaillerons vite dès que ce sera fini.
☐ D Nous travaillerons vite avant que ce soit fini.

Question 33

Le Président de la République algérienne aurait rencontré le Premier ministre israélien.
☐ A Le Président algérien a dû rencontrer le Premier ministre israélien.
☐ B Il est probable que le Président algérien rencontrera le Premier ministre israélien.
☐ C Le Président algérien a déjà rencontré le Premier ministre israélien.
☐ D On pense que le Président algérien rencontrera le Premier ministre israélien.

QUESTION 34

Au retour des vacances, nous sommes passés par la Suisse.
☐ A Nous avons passé nos vacances en Suisse.
☐ B Nous sommes retournés en Suisse en vacances.
☐ C Nous sommes revenus de vacances en passant par la Suisse.
☐ D Nous sommes partis en vacances en passant par la Suisse.

QUESTION 35

Je préparais mon dossier quand il est arrivé.
☐ A J'avais préparé mon dossier quand il est arrivé.
☐ B J'étais en train de préparer mon dossier quand il est arrivé.
☐ C J'ai commencé à préparer mon dossier quand il est arrivé.
☐ D J'allais préparer mon dossier quand il est arrivé.

QUESTION 36

La voiture dont il rêve est trop chère pour lui.
☐ A Il rêve d'une voiture qui est très chère.
☐ B Il a une voiture qui est trop chère pour lui.
☐ C Il n'a pas les moyens de s'offrir la voiture qu'il aime.
☐ D Il va acheter la voiture de ses rêves.

QUESTION 37

Nicole a mis la table après avoir regardé son émission favorite.
☐ A Nicole a mis la table puis elle a regardé son émission favorite.
☐ B Nicole a mis la table en regardant son émission favorite.
☐ C Nicole a d'abord regardé son émission favorite puis elle a mis la table.
☐ D Nicole a mis la table avant de regarder son émission favorite.

QUESTION 38

Ne quittez pas, s'il vous plaît.
☐ A Ne partez pas, s'il vous plaît.
☐ B N'ayez pas peur, s'il vous plaît.
☐ C Attendez un instant, s'il vous plaît.
☐ D Restez avec moi, s'il vous plaît.

QUESTION 39

Précisément, je t'explique qu'elle ne le savait pas.
☐ A Je t'explique avec précision qu'elle ne le savait pas.
☐ B Mais justement, elle ne le savait pas.
☐ C Je t'explique qu'elle ne le savait pas précisément.
☐ D Elle t'explique que, précisément, elle ne le savait pas.

QUESTION 40

Il paraît qu'il va pleuvoir.
☐ A J'ai l'impression qu'il va pleuvoir.
☐ B Il va pleuvoir, c'est certain.
☐ C Je doute qu'il pleuve.
☐ D J'ai entendu dire qu'il allait pleuvoir.

II COMPRÉHENSION ORALE GUIDÉE

A ASSOCIER DES ILLUSTRATIONS À DES MESSAGES

Conseils

Observation globale

• Observez les dessins et notez les détails.

Écoute globale

• Écoutez le message et relevez les qualificatifs utilisés pour décrire la personne ou l'objet.

EXERCICE 1

Vous allez entendre deux fois quatre femmes qui décrivent leur ami sur des photos. Voici les dessins de cinq hommes.

1. Regardez les dessins et complétez la grille suivante.

	Dessin 1	Dessin 2	Dessin 3	Dessin 4	Dessin 5
Taille					gros
Cheveux		chauve	longs		
Vêtements	survêtement				
Accessoires					

2. **Écoutez une première fois l'enregistrement.**
Notez dans le tableau suivant les principales caractéristiques des personnes décrites.

	Homme 1	Homme 2	Homme 3	Homme 4
Physique				
Vêtements				
Accessoires	parapluie			

? QUESTIONS TEF

Écoutez une deuxième fois l'enregistrement. Indiquez à quel dessin correspond chacune des descriptions.
Attention : il y a cinq dessins pour seulement quatre personnes décrites.

QUESTION 1

Homme 1
- ☐ A Dessin 1
- ☐ B Dessin 2
- ☐ C Dessin 3
- ☐ D Dessin 4
- ☐ E Dessin 5

QUESTION 2

Homme 2
- ☐ A Dessin 1
- ☐ B Dessin 2
- ☐ C Dessin 3
- ☐ D Dessin 4
- ☐ E Dessin 5

QUESTION 3

Homme 3
- ☐ A Dessin 1
- ☐ B Dessin 2
- ☐ C Dessin 3
- ☐ D Dessin 4
- ☐ E Dessin 5

QUESTION 4

Homme 4
- ☐ A Dessin 1
- ☐ B Dessin 2
- ☐ C Dessin 3
- ☐ D Dessin 4
- ☐ E Dessin 5

EXERCICE 2

Vous allez entendre un message diffusé sur un stand du salon de l'Automobile.
Voici le dessin de cinq voitures.

1. **Regardez le dessin et complétez la grille suivante avec des adjectifs.**

	Voiture 1	Voiture 2	Voiture 3	Voiture 4	Voiture 5
La voiture est…			petite, …		

2. Écoutez une première fois l'enregistrement.
Relevez les mots utilisés dans le message pour décrire chaque voiture.

Protée A	Protée B	Protée C	Protée D
	sportive, …		

? QUESTIONS TEF

➩ Écoutez une deuxième fois l'enregistrement. Indiquez à quelle voiture dessinée correspond chaque voiture décrite. Attention : il y a cinq voitures dessinées pour seulement quatre voitures décrites.

QUESTION 5

Protée A
- ☐ A Dessin 1
- ☐ B Dessin 2
- ☐ C Dessin 3
- ☐ D Dessin 4
- ☐ E Dessin 5

QUESTION 6

Protée B
- ☐ A Dessin 1
- ☐ B Dessin 2
- ☐ C Dessin 3
- ☐ D Dessin 4
- ☐ E Dessin 5

QUESTION 7

Protée C
- ☐ A Dessin 1
- ☐ B Dessin 2
- ☐ C Dessin 3
- ☐ D Dessin 4
- ☐ E Dessin 5

QUESTION 8

Protée D
- ☐ A Dessin 1
- ☐ B Dessin 2
- ☐ C Dessin 3
- ☐ D Dessin 4
- ☐ E Dessin 5

B COMPRENDRE DES MESSAGES COURTS

Conseils

Écoute globale

- Identifiez la situation de communication :
  – Qui parle ?
  – Où et quand est diffusé le message ?
  – Quel est le sujet du message ?

Écoute sélective

- Déterminez l'intention de communication :
  – Pourquoi est-ce que ce message est diffusé ?
  – Pour quelle raison est-ce que la personne appelle ?

EXERCICE 3

Vous allez entendre trois messages sur répondeur téléphonique.

1. Écoutez une première fois l'enregistrement.
Pour chaque message, remplissez le tableau suivant.

	Quel est le nom de la personne qui parle ?	Est-ce que la personne utilise le *tu* ou le *vous* ?	Est-ce qu'on donne le nom d'une entreprise ?
Message 1			
Message 2			
Message 3			

2. **Écoutez une deuxième fois l'enregistrement.**
Pour chaque message, relevez les mots ou expressions qui vous aident à comprendre l'objet de l'appel.

Message 1	Message 2	Message 3
	salon de l'Automobile, …	

? Questions TEF

➩ Écoutez une troisième fois l'enregistrement. Indiquez pour chacun de ces messages s'il a un caractère familial, amical, professionnel ou publicitaire, en cochant A, B, C ou D.

Question 9

Message 1
- ☐ **A** Familial
- ☐ **B** Amical
- ☐ **C** Professionnel
- ☐ **D** Publicitaire

Question 10

Message 2
- ☐ **A** Familial
- ☐ **B** Amical
- ☐ **C** Professionnel
- ☐ **D** Publicitaire

Question 11

Message 3
- ☐ **A** Familial
- ☐ **B** Amical
- ☐ **C** Professionnel
- ☐ **D** Publicitaire

➩ Écoutez une quatrième fois l'enregistrement. Indiquez, pour chaque message, pourquoi la personne appelle.

Question 12

Message 1
Il appelle ou elle appelle pour
- ☐ **A** l'inviter à coucher chez elle.
- ☐ **B** lui proposer de venir dîner chez elle.
- ☐ **C** l'inviter à passer chez elle le week-end.
- ☐ **D** lui proposer de passer samedi.

Question 13

Message 2
Il appelle ou elle appelle pour
- ☐ **A** offrir une voiture.
- ☐ **B** inviter à un salon.
- ☐ **C** féliciter.
- ☐ **D** faire une offre exceptionnelle.

Question 14

Message 3
Il appelle ou elle appelle pour
- ☐ **A** demander d'envoyer un CV.
- ☐ **B** proposer une candidature.
- ☐ **C** proposer un emploi.
- ☐ **D** prendre un rendez-vous.

Exercice 4

Vous allez entendre trois messages enregistrés dans un lieu public.

• ***Message 1***

Écoutez une première fois le message 1, puis répondez aux questions.

a) Où est diffusé le message ? ....

b) Qui parle ? ....

c) Qui Paul attend-il ? ....

d) Où est-il ? ....

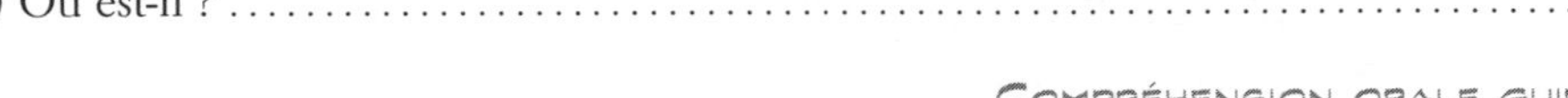

? Questions TEF

➪ Lisez d'abord les questions avant d'écouter une deuxième fois le message 1.
Puis répondez aux questions.

Question 15

Le message 1 s'adresse
- ☐ A à la responsable d'une caisse.
- ☐ B à la mère d'un enfant.
- ☐ C à un docteur.
- ☐ D au gardien de la porte de sortie.

Question 16

Le lieu de rendez-vous est
- ☐ A la caisse numéro six.
- ☐ B la caisse numéro seize.
- ☐ C la porte de sortie.
- ☐ D le point-rencontre du magasin.

• *Message* 2

Écoutez une première fois le message 2, puis répondez aux questions.

a) À qui s'adresse le message ? ....

b) Qu'est-ce qu'il faut recevoir pour participer ? ....

c) Dans combien de temps est-ce que l'événement aura lieu ? ....

? Questions TEF

➪ Lisez d'abord les questions avant d'écouter une deuxième fois le message 2.
Puis répondez aux questions.

Question 17

Il s'agit
- ☐ A d'une épreuve sportive.
- ☐ B d'un examen.
- ☐ C d'une opération policière.
- ☐ D d'une manifestation syndicale.

Question 18

Le début de l'événement est prévu dans
- ☐ A un quart d'heure.
- ☐ B trois quarts d'heure.
- ☐ C une heure et quart.
- ☐ D une heure quarante-cinq.

• *Message* 3

Écoutez une première fois le message 3, puis répondez aux questions.

a) Que présentent Myriam Berger et Alain Couturier ? ....

b) À qui s'adresse le message ? ....

c) À quel endroit précis est-ce que l'événement se déroule ? ....

d) Quel conseil est donné dans le message ? ....

? Questions TEF

➪ Lisez d'abord les questions avant d'écouter une deuxième fois le message 3. Puis répondez aux questions.

Question 19

Ce message est donné dans
- ☐ A une foire-exposition de meubles de cuisine.
- ☐ B un salon d'antiquités africaines.
- ☐ C un salon du livre.
- ☐ D une exposition d'artisanat africain.

Question 20

Ce message est donné
- ☐ A quelques minutes avant la présentation.
- ☐ B au début de la présentation.
- ☐ C à la pause de la présentation.
- ☐ D à la fin de la présentation.

Question 21

Le message demande aux visiteurs d'être
- ☐ A prudents.
- ☐ B organisés.
- ☐ C sérieux.
- ☐ D prévoyants.

Exercice 5

Vous allez entendre quatre brèves extraites d'un journal radiophonique.

1. Écoutez l'information 1. Quels sont les mots importants ?

....

2. Écoutez l'information 2. Quel est l'événement relaté dans ce message ?

....

3. Écoutez l'information 3. Que se passe-t-il ?

....

4. Écoutez l'information 4. De quoi parle-t-on dans ce message ?

....

? Questions TEF

➪ Écoutez une deuxième fois les quatre informations. Indiquez, pour chaque information, à quelle rubrique de ce journal elle appartient.

Question 22

Information 1
- ☐ A International.
- ☐ B Jeux.
- ☐ C Opinion.
- ☐ D Sport.

Question 23

Information 2
- ☐ A Culture.
- ☐ B Société.
- ☐ C Faits divers.
- ☐ D Spectacles.

Question 24

Information 3
- ☐ A Social.
- ☐ B Politique.
- ☐ C Économie.
- ☐ D Faits divers.

Question 25

Information 4
- ☐ A Science.
- ☐ B International.
- ☐ C Météo.
- ☐ D Faits divers.

C Comprendre des messages longs

Conseils

Écoute globale

• Identifiez la situation de communication du document :
– Qui parle ?
– Où parle la personne ?
– Quel est le sujet évoqué ?

Écoute sélective

• Déterminez l'intention de communication des locuteurs :
– Pour quelle raison est-ce que la personne parle ?
– Quelles sont les opinions, les attitudes ou les sentiments exprimés ?

Exercice 6

Vous allez entendre deux sondages effectués auprès de six personnes.

• ***Sondage 1 : « Que pensez-vous du cinéma américain ? »***

Écoutez une première fois l'enregistrement.
Pour chaque personne interrogée, mettez une croix dans la case du tableau qui convient.

	Aime le cinéma américain	N'aime pas le cinéma américain	Ne se prononce pas
Personne 1			
Personne 2			
Personne 3			
Personne 4			
Personne 5			
Personne 6			

? Questions TEF

Écoutez une deuxième fois l'enregistrement. Indiquez si la personne interviewée a une très bonne opinion, a plutôt une bonne opinion, a une mauvaise opinion, ne se prononce pas.

Question 26

La personne 1
☐ **A** a une très bonne opinion.
☐ **B** a plutôt une bonne opinion.
☐ **C** a une mauvaise opinion.
☐ **D** ne se prononce pas.

Question 27

La personne 2
☐ **A** a une très bonne opinion.
☐ **B** a plutôt une bonne opinion.
☐ **C** a une mauvaise opinion.
☐ **D** ne se prononce pas.

QUESTION 28

La personne 3
☐ A a une très bonne opinion.
☐ B a plutôt une bonne opinion.
☐ C a une mauvaise opinion.
☐ D ne se prononce pas.

QUESTION 29

La personne 4
☐ A a une très bonne opinion.
☐ B a plutôt une bonne opinion.
☐ C a une mauvaise opinion.
☐ D ne se prononce pas.

QUESTION 30

La personne 5
☐ A a une très bonne opinion.
☐ B a plutôt une bonne opinion.
☐ C a une mauvaise opinion.
☐ D ne se prononce pas.

QUESTION 31

La personne 6
☐ A a une très bonne opinion.
☐ B a plutôt une bonne opinion.
☐ C a une mauvaise opinion.
☐ D ne se prononce pas.

• *Sondage 2 : « Utilisez-vous le français au travail ? »*

Écoutez une première fois l'enregistrement.
Pour chaque personne interrogée, mettez une croix dans la case du tableau qui convient.

	Parle français au travail	Ne parle pas français au travail
Personne 1		
Personne 2		
Personne 3		
Personne 4		
Personne 5		
Personne 6		

? QUESTIONS TEF

➩ Écoutez une deuxième fois l'enregistrement. Indiquez si la personne interviewée déclare utiliser le français au travail tous les jours, souvent, rarement, jamais.

QUESTION 32

La personne 1 utilise le français au travail
☐ A tous les jours.
☐ B souvent.
☐ C rarement.
☐ D jamais.

QUESTION 33

La personne 2 utilise le français au travail
☐ A tous les jours.
☐ B souvent.
☐ C rarement.
☐ D jamais.

QUESTION 34

La personne 3 utilise le français au travail
☐ A tous les jours.
☐ B souvent.
☐ C rarement.
☐ D jamais.

QUESTION 35

La personne 4 utilise le français au travail
☐ A tous les jours.
☐ B souvent.
☐ C rarement.
☐ D jamais.

QUESTION 36

La personne 5 utilise le français au travail
☐ A tous les jours.
☐ B souvent.
☐ C rarement.
☐ D jamais.

QUESTION 37

La personne 6 utilise le français au travail
☐ A tous les jours.
☐ B souvent.
☐ C rarement.
☐ D jamais.

EXERCICE 7

Vous allez entendre une conversation téléphonique.
Écoutez une première fois l'enregistrement, puis répondez aux questions.

a) Qui téléphone ? ....

b) Que désire la personne ? ....

c) Complétez le tableau.

Nom du vaccin obligatoire	
Date de vaccination	
Nom du document de vaccination	

? QUESTIONS TEF

➪ Lisez d'abord les questions. Écoutez une deuxième fois l'enregistrement.
Commencez à répondre. Écoutez une troisième fois l'enregistrement et complétez vos réponses.

QUESTION 38

Le centre Bernier est
- ☐ **A** un centre d'information sur la Tanzanie.
- ☐ **B** une agence de voyages.
- ☐ **C** un centre spécialisé pour les vaccins.
- ☐ **D** un laboratoire de recherche.

QUESTION 39

L'immunisation contre la fièvre jaune est
- ☐ **A** souhaitable.
- ☐ **B** optionnelle.
- ☐ **C** recommandée.
- ☐ **D** obligatoire.

QUESTION 40

Le certificat de vaccination doit être présenté
- ☐ **A** à l'arrivée dans le pays.
- ☐ **B** avant le départ.
- ☐ **C** au moment du départ.
- ☐ **D** au départ et à l'arrivée.

EXERCICE 8

Vous allez entendre un dialogue.
Écoutez une première fois l'enregistrement, puis répondez aux questions.

a) Il s'agit :	**Vrai**	**Faux**		**Vrai**	**Faux**
d'un débat	☐	☐	d'une interview	☐	☐
d'un exposé	☐	☐	d'une conférence	☐	☐
d'une publicité	☐	☐			

b) Quelle est la profession de M. Langoureau ? ....

c) De quel endroit parle-t-il ? ....

d) À quoi servira-t-il ? ....

e) Quelles sont les trois qualités de cet endroit ?

1 : ....

2 : ....

3 : ....

? Questions TEF

➩ **Lisez d'abord les questions. Écoutez une deuxième fois l'enregistrement. Commencez à répondre. Écoutez une troisième fois l'enregistrement et complétez vos réponses.**

Question 41

Monsieur Langoureau est
- ☐ **A** responsable à la SNCF.
- ☐ **B** vigneron.
- ☐ **C** employé dans une coopérative agricole.
- ☐ **D** maire de la commune.

Question 42

1943, c'est l'année où
- ☐ **A** le tunnel a été construit.
- ☐ **B** la coopérative a été créée.
- ☐ **C** la ligne SNCF St-Jean-Montchan a été ouverte.
- ☐ **D** un train est passé dans le tunnel pour la dernière fois.

Question 43

Le premier avantage du tunnel est
- ☐ **A** le prix qu'il a coûté.
- ☐ **B** la stabilité de la température intérieure.
- ☐ **C** le nombre de bouteilles qu'on peut y stocker.
- ☐ **D** sa longueur.

Exercice 9

Vous allez entendre un extrait d'une émission de radio.
Écoutez une première fois l'enregistrement, puis répondez aux questions.

a) De quel projet s'agit-il ? ....

b) Complétez le tableau suivant.

Quel est le nom de ce projet ?	
Où est-ce qu'il va se réaliser ?	
Comment est financé ce projet ?	
Combien de personnes sont déjà intéressées par ce projet ?	

c) Comment s'appelle le créateur du projet ? Est-ce que c'est son vrai nom ?

....

? Questions TEF

➩ **Lisez d'abord les questions. Écoutez une deuxième fois l'enregistrement. Commencez à répondre. Écoutez une troisième fois l'enregistrement et complétez vos réponses.**

Question 44

Le Prince Lazarus désire
- ☐ **A** créer un site Internet.
- ☐ **B** bâtir un nouveau pays.
- ☐ **C** être couronné.
- ☐ **D** voyager dans les Caraïbes.

Question 45

Robert Turney a changé son identité
- ☐ **A** parce que son nom était trop commun.
- ☐ **B** parce qu'il n'aimait pas son nom.
- ☐ **C** pour changer de nationalité.
- ☐ **D** pour fuir les impôts.

Question 46

Pour être citoyen, il faut
- ☐ **A** être chef d'entreprise.
- ☐ **B** acheter des actions.
- ☐ **C** être membre de l'ONU.
- ☐ **D** habiter en Amérique centrale.

Question 47

À ce jour combien de personnes sont citoyennes ?
- ☐ **A** 470
- ☐ **B** 410
- ☐ **C** 460
- ☐ **D** 466

D Reconnaître et différencier des sons

Conseils

- Lisez bien la phrase avant de l'écouter.
- Rappelez-vous que l'accent tonique est généralement fixé sur la dernière voyelle d'un mot et sur la dernière syllabe d'un groupe rythmique.
- Rappelez-vous que, lorsqu'un mot est dit dans une phrase, il peut subir des modifications :
– de prononciation,
– d'accentuation,
– de liaison.

Exercice 10

Vous allez entendre dix phrases.

? Questions TEF

⇒ Écoutez l'enregistrement. La phrase que vous entendez correspond-elle à la phrase que vous lisez sur votre feuille ?

Question 48

La décoration, c'est une affaire de coût.
☐ A oui
☐ B non

Question 49

J'ai fait le plan.
☐ A oui
☐ B non

Question 50

J'ai tout bu.
☐ A oui
☐ B non

Question 51

Il a perdu la boule.
☐ A oui
☐ B non

Question 52

Ce sont des chaussons.
☐ A oui
☐ B non

Question 53

Ceux-ci sont plus frais.
☐ A oui
☐ B non

Question 54

Surveille les miens !
☐ A oui
☐ B non

Question 55

Je vous ai attendu.
☐ A oui
☐ B non

Question 56

C'est le 03 57 70 45 20.
☐ A oui
☐ B non

Question 57

Enfant, il était vif.
☐ A oui
☐ B non

LES TESTS

Présentation des tests

Cette partie propose deux tests blancs complets pour préparer le TEF.
Chaque test se compose de **trois épreuves obligatoires** :
- Compréhension écrite
- Compréhension orale avec enregistrements
- Lexique et structure

Et de **deux épreuves facultatives** :
- Expression écrite
- Expression orale

A Pourquoi des tests blancs ?

1. Pour pouvoir déterminer globalement votre niveau de français.
2. Pour vous familiariser avec les contenus du test et les types d'exercices du TEF.
3. Pour connaître les principes d'évaluation, les épreuves et les formalités de passation du TEF.
4. Donc pour vous préparer au TEF.

✔ Vous voulez :

- **Évaluer votre niveau de français**

Le test, passé dans les conditions d'examen et en temps réel, vous permet d'obtenir une évaluation globale de votre niveau de français.

- **Vous entraîner à votre rythme**

Le test, passé à votre rythme, vous permet de vous habituer progressivement aux types d'exercices proposés et d'améliorer vos compétences.

B Comment évaluer votre niveau de français ?

1. Passez un test complet : trois épreuves obligatoires et deux épreuves facultatives.
2. Respectez les conditions de passation.
3. Suivez les conseils donnés.
4. Respectez les principes d'évaluation donnés pour calculer votre score (*cf.* p.89).
5. Reportez-vous à la partie auto-évaluation (*cf.* p. 92) pour vous situer sur la grille de niveaux.

✔ Conditions de passation

- Respectez le temps imparti pour chaque épreuve.
- Passez les épreuves dans l'ordre, l'une après l'autre. Ne vous arrêtez pas pendant une même épreuve.

• Pour les épreuves obligatoires, répondez directement sur la fiche de réponses. (Découpez le dernier feuillet de ce livre : la fiche de réponses du test 1 se trouve p. 127, celle du test 2 p. 128.)
• Pour l'épreuve de compréhension orale, n'arrêtez pas la cassette audio.
• Pour les épreuves facultatives, demandez à quelqu'un de jouer le rôle de l'examinateur et répondez aux questions d'auto-évaluation proposées pp. 90 et 91.

✔ Conseils pour les épreuves obligatoires

• Lisez attentivement les consignes des exercices ainsi que les exemples donnés.
• Ne répondez pas au hasard (les mauvaises réponses sont pénalisées). Il n'y a qu'une seule réponse exacte.
• Ne passez pas trop de temps sur une question : cela vous pénaliserait pour le reste de l'épreuve.
• Travaillez rapidement mais sans précipitation : regardez l'heure régulièrement et gérez votre temps.
• Ne cochez pas vos réponses sur le jeu d'épreuves mais directement sur la fiche de réponses.

✔ Conseils pour les épreuves facultatives

• Faites attention à la qualité de la langue employée, à l'écrit comme à l'oral :
– la structure des phrases : phrases simples et complexes bien employées, pronoms adéquats et mots-liens logiques ;
– les formes verbales : construction juste et concordance des temps respectée ;
– le vocabulaire utilisé : lexique précis et varié ;
– l'élocution : la prononciation et le débit.

TEST 1

PREMIÈRE ÉPREUVE OBLIGATOIRE

COMPRÉHENSION ÉCRITE

50 questions — 1 heure

Avant de commencer le test, découpez la fiche de réponses p. 127.

SECTION A

Dans cette section, vous prendrez connaissance de cinq documents et vous répondrez aux questions correspondantes.

➪ **Pour chaque question, cochez votre réponse sur la fiche.**

LES QUESTIONS 1 ET 2 CONCERNENT LE DOCUMENT SUIVANT.

QUESTION 1

Quelle est la nature de ce document ?

A. Le résultat d'une enquête sociologique.
B. Une publicité sur une région.
C. Une information touristique.
D. Un article sur les loisirs.

QUESTION 2

Où se situe la ville dont parle le document ?

A. Au bord de la mer.
B. À la montagne.
C. À la campagne.
D. Sur une île.

Honfleur

8 272 habitants,
située sur l'estuaire de la Seine
aux portes du pays d'Auge et de la côte fleurie, offre une grande séduction
avec son vieux bassin,
l'église Sainte Catherine,
ses rues pittoresques et son port.

Durée de la visite : 2 heures 1/2

LES QUESTIONS 3 ET 4 CONCERNENT LE DOCUMENT SUIVANT.

QUESTION 3

Qu'indique le graphique ?

A. Le pourcentage d'Européens qui font le ménage chez eux.
B. Le pourcentage de familles européennes qui habitent dans une maison.
C. Le pourcentage d'Européens propriétaires d'une maison individuelle.
D. Le pourcentage d'Européens qui louent une maison individuelle.

QUESTION 4

D'après ce classement, on peut dire

A. que les Autrichiens se situent dans la moyenne européenne.
B. que les Belges vivent plutôt en appartement.
C. que les Britanniques se situent en bas du classement.
D. que les Italiens vivent en majorité en maison.

Les questions 5 et 6 concernent le document ci-contre.

Question 5

Quelle est la nature de ce document ?
A. Une publicité pour le parc Astérix.
B. Le résumé d'un livre d'Astérix.
C. Un avis pour avoir des places gratuites.
D. Une invitation gratuite.

Question 6

Que faut-il faire ?
A. Téléphoner.
B. Écrire.
C. Se déplacer.
D. Attendre une réponse.

1 000 PLACES GRATUITES

« Télé Plus » a le plaisir d'inviter 1 000 lecteurs à se divertir cet été, au parc Astérix, le jour de leur convenance, entre 10 et 18 heures, et à profiter de toutes les attractions.
Afin d'obtenir une invitation pour 2 personnes, il vous suffit d'envoyer cette vignette par la poste, accompagnée d'une enveloppe non affranchie portant vos nom et adresse, à

« TÉLÉ PLUS », PARC ASTÉRIX
6, RUE ANCELLE
92525 NEUILLY-SUR-SEINE

Les titulaires des 500 vignettes tirées au sort recevront un carton d'invitation à leur domicile.

Votre énergie retrouvée vous fera reprendre le chemin du succès. Restez ferme en ce qui concerne les affaires professionnelles. Les affaires de cœur passeront au second plan. Si vous décidez de faire de gros achats, regardez d'abord votre compte en banque et ne vous laissez pas influencer. Vous serez appelé à beaucoup voyager pour votre plaisir.

Les questions 7 et 8 concernent le document ci-contre.

Question 7

Sous quelle rubrique de journal, peut-on lire cet article ?
A. Faits divers.
B. Horoscope.
C. Santé.
D. Loisirs.

Question 8

Quel sujet n'est pas évoqué dans le texte ?
A. La vie sentimentale.
B. L'argent.
C. La vie sociale.
D. Le travail.

Les questions 9 et 10 concernent le document ci-contre.

Question 9

Ce document présente
A. le nombre d'animaux pour cent habitants dans le monde entier.
B. le nombre de chiens et de chats pour cent habitants sur tous les continents.
C. le nombre de chiens et de chats pour cent habitants en Europe.
D. le nombre de chiens et de chats pour cent habitants dans différents pays.

LES ANIMAUX DU MONDE

Nombre de chiens et de chats dans divers pays (pour 100 habitants).

	Chiens	Chats
États-unis	21	23
Belgique	18	18
Irlande	17	11
France	13	14
Danemark	12	10
Finlande	12	10
Royaume-Uni	11	12
Espagne	9	8
Italie	9	11
Portugal	9	13
Pays-Bas	8	13
Autriche	7	17
Grèce	7	7
Japon	7	6
Allemagne	6	7

Question 10

Quel est l'objectif de ce document ?
A. Donner l'envie d'adopter un chat ou un chien.
B. Informer le grand public.
C. Alerter l'opinion publique.
D. Inviter les gens à bien soigner leur chien ou leur chat.

Section B

Dans cette section, vous prendrez connaissance de sept documents et vous répondrez aux questions correspondantes.
Pour chaque question, cochez votre réponse sur la fiche.

Les questions 11 à 13 concernent le document suivant.

LE SAVIEZ-VOUS ?

Les historiens se sont toujours servis de l'œuf – qualifié de « viande du pauvre » – comme d'un repère pour définir le coût de la vie. Premier producteur européen, la France arrive en troisième position de la consommation mondiale, avec deux cent soixante œufs par an et par habitant. La palme appartient aux Israéliens, avec plus de quatre cents unités.
Quatre-vingt-dix pour cent des œufs français sont produits dans des élevages spécialisés. Le reste provient de poules élevées selon d'autres critères.
Le consommateur est concerné par la catégorie A, dans laquelle on trouve les œufs extra-frais et frais. Dans le réfrigérateur, il faut placer les œufs sur la pointe, éliminer ceux qui pourraient être fêlés et surtout ne jamais les laver pour ne pas détruire la protection de la coquille.

Question 11

Les Israéliens
A. sont les premiers producteurs d'œufs au monde.
B. consomment autant d'œufs par an que les Français.
C. possèdent le plus grand nombre d'unités de production au monde.
D. sont les premiers mangeurs d'œufs au monde.

Question 12

Entrent dans la catégorie A
A. les œufs extra-frais et frais.
B. les œufs produits en élevage spécialisé.
C. les œufs de poules élevées en milieu naturel.
D. les œufs importés en France.

Question 13

Pour la conservation des œufs, il est recommandé
A. de les laisser à l'air libre.
B. de les laisser à la lumière du jour.
C. de les laver avant de les mettre dans le réfrigérateur.
D. de les placer directement au frais.

Les questions 14 à 17 concernent le document suivant.

Question 14

Dans cet article, l'auteur rapporte
A. un crime.
B. un vol.
C. des actes de vandalisme.
D. un incendie.

Question 15

Les auteurs du délit ont été
A. arrêtés sur les lieux du délit.
B. libérés.
C. arrêtés chez eux.
D. blessés.

Question 16

Ils étaient tous originaires
A. de Nice.
B. de la même région.
C. de Saint-Jean.
D. d'une région différente.

Question 17

L'enquête se poursuit parce que
A. d'autres coupables sont recherchés.
B. le montant des dégâts n'est pas connu.
C. ce ne sont pas les premières dégradations commises.
D. des témoins manquent à l'appel.

DEUX VITRINES BRISÉES : LES AUTEURS INTERPELLÉS

De nouvelles dégradations ont été commises, au cours de la soirée de mercredi, dans le centre-ville de Saint-Jean. Entre 21 heures et 22 heures, un groupe de jeunes passablement éméchés a brisé la vitrine de la Banque Royale et la porte de la pharmacie, rue de Nice.
Appelés aussitôt par des témoins, les gendarmes ont interpellé les auteurs en flagrant délit : trois jeunes de la ville et des environs, âgés d'une vingtaine d'années.
Ils ont été placés en garde à vue à la gendarmerie, où l'enquête se poursuit, car il semble que ces nouvelles dégradations se situent dans le prolongement des vols et dégradations effectués ces dernières semaines.

D'après *La Nouvelle République.*

Les questions 18 à 20 concernent le document suivant.

INDICES DES PRIX À LA CONSOMMATION

	1970	1980	1990	1997
Indices de base (1970 =100)	*100*	*255,8*	*465,8*	*537,3*
Alimentation	100	245,7	451,4	508,6
Tabac	100	179,5	364,5	716
Habillement	100	243,3	466,7	512,2
Logement, chauffage, éclairage	100	274	531,8	660,8
Meubles, matériel ménager, entretien	100	244,5	441,6	507,1
Santé	100	233,6	362,1	401,6
Transports et communication	100	274	497,8	569
Loisirs, culture	100	241	391,3	415,7
Autres biens et services	100	275,5	544,9	654,3
Prix (en francs)	**1970**	**1980**	**1990**	**1997**
Bœuf : faux filet (1kg)	10,66	53,01	91,61	97,17
Pain (baguette de 250 g)	0,57	1,67	3,14	3,97
Essence super (1 litre)	1,16	3,41	5,53	6,51

Question 18

Entre 1970 et 1997,
A. le prix du tabac a augmenté dans les mêmes proportions que le prix de l'alimentation.
B. c'est le coût du logement qui a le plus augmenté.
C. les prix des loisirs ont plus augmenté que ceux des transports et de la communication.
D. c'est le coût des dépenses de santé qui a le moins augmenté.

Question 19

Entre 1990 et 1997,
A. le prix du logement a subi une plus forte augmentation qu'entre 1970 et 1980.
B. le prix du bœuf est resté plus stable que celui du pain et de l'essence.
C. l'essence a augmenté d'environ un franc.
D. le prix du tabac a triplé.

Question 20

Globalement, on peut dire qu'entre 1970 et 1997,
A. c'est le prix du bœuf qui a le plus augmenté.
B. les prix à la consommation ont tous été multipliés par quatre.
C. plusieurs prix sont restés stables.
D. l'augmentation du prix des loisirs dépasse l'indice de base.

Les questions 21 à 24 concernent le document suivant.

Économiquement la Bulgarie est, avec l'Albanie, l'un des pays les plus pauvres de l'Europe de l'Est. Si l'actuel gouvernement peut se vanter d'avoir réussi à maîtriser une inflation plus que galopante, sa gestion des finances s'est révélée catastrophique. 50 % de la population vit avec moins de 60 dollars par mois et les retraités, la partie sacrifiée de la population, ont juste assez d'argent pour payer leur ration de pain et de yaourt journalière. La plupart regrettent la période communiste où, même s'ils n'étaient pas riches, ils pouvaient au moins vivre décemment. Le ministre de l'Économie, qui avait pour espoir d'attirer les investisseurs étrangers sur le sol bulgare et pour ambition de faire rentrer le pays dans la communauté européenne, ne sait plus quoi annoncer à une population qui ne croit plus à ses discours. Rares sont en effet les entreprises étrangères qui ont osé tenter l'aventure dans un pays où la corruption est quasiment institutionnalisée. Quant aux jeunes, bientôt en minorité vue la croissance démographique, ils s'acharnent à apprendre les langues étrangères et participent chaque année à la loterie organisée par les États-Unis pour pouvoir obtenir un visa d'immigration. La presse est plus que timide et les journalistes n'osent plus critiquer ouvertement la politique du gouvernement ; le ton des articles les plus subversifs se situe entre un cynisme féroce et un humour des plus noirs.

Question 21

D'après cet article, la Bulgarie
A. connaît une situation critique.
B. connaît une forte immigration.
C. a une presse dynamique.
D. attire les entreprises étrangères.

Question 22

Le gouvernement a connu un succès dans ses mesures
A. pour enrayer l'inflation.
B. pour entrer dans l'Union Européenne.
C. pour redonner espoir à la population.
D. pour augmenter les retraites.

Question 23

En Bulgarie, les jeunes
A. aiment voyager.
B. sont doués en langue.
C. veulent jouer au loto.
D. sont de moins en moins nombreux.

Question 24

D'après cet article, la presse semble être
A. active.
B. engagée.
C. désabusée.
D. objective.

LES QUESTIONS 25 À 28 CONCERNENT LE DOCUMENT SUIVANT.

QUESTION 25

Dans cet article, l'objectif de l'auteur est de
A. faire la critique d'un film.
B. faire la publicité d'un film.
C. présenter une actrice.
D. raconter l'histoire d'Agnès Browne.

QUESTION 26

L'auteur pense que le film est
A. un chef-d'œuvre.
B. plutôt bien.
C. plutôt mauvais.
D. très mauvais.

QUESTION 27

Quel adjectif qualifie le mieux le film ?
A. Subtil.
B. Vulgaire.
C. Triste.
D. Simple.

QUESTION 28

Au départ, Agnès Browne est le nom
A. d'un livre.
B. d'un téléfilm.
C. d'une chanson.
D. d'une actrice.

Dans la chaleur du mélodrame

Dublin 1967 – Agnès Browne qui vend des fruits sur le marché, veuve depuis peu, se retrouve seule à faire vivre ses sept enfants. Pour assurer des obsèques décentes à son mari, elle a emprunté de l'argent à un crapuleux usurier qui va lui mener la vie dure. Heureusement, Agnès s'en sortira grâce à l'apparition du chanteur vedette Tom Jones ! C'est vous prédire un film qui ne s'embarrasse pas de finesses socio-psychologiques. Et pourtant, ça marche ; en tout cas, moi, j'ai aimé ce film sans complexes, jamais vulgaire, rythmé comme une ballade irlandaise. Au départ, un roman très populaire puis une série télévisée ont fait d'Agnès Browne une héroïne familière aux Irlandais. Sans espérer le chef-d'œuvre de la décennie, ne laissons pas passer le plaisir simple d'un divertissement chaleureux ; ce qui fut autrefois la spécialité des cinémas italiens et français… il y a longtemps !

D'après *ELLE*.

– Frédéric, vous fêtez cette année vos trente ans de chanson. Quel regard portez-vous sur votre carrière ?

– Trente ans de passés… Je ne m'en rends pas compte. Je ressens le même appétit de vivre qu'au premier jour. J'ai l'impression d'avoir toujours vingt ans.

– Cette même année, vous fêtez vos cinquante ans. Comment vivez-vous cet événement ?

– Avoir cinquante ans en l'an 2000, je trouve cela très bien. Si on a 20, 30, 40, ou 50 ans, on se comprend.
Mes enfants portent mes vêtements, on écoute les mêmes disques, on regarde les mêmes films… Je me sens très calme. J'ai de l'expérience et une certaine sagesse.

– Il faut associer à ce bonheur votre femme, Monique…

– Oui. C'est elle qu'il faut applaudir. Elle intervient dans tous les moments de ma vie. Quand je ne suis pas là, c'est elle le capitaine du bateau.

LES QUESTIONS 29 À 31 CONCERNENT LE DOCUMENT CI-CONTRE.

QUESTION 29

Frédéric est
A. peintre.
B. architecte.
C. chanteur.
D. cuisinier.

QUESTION 30

Les générations, aujourd'hui, selon Frédéric
A. ont du mal à échanger leurs idées.
B. s'entendent moins bien qu'il y a trente ans.
C. se retrouvent dans les discothèques.
D. ont les mêmes goûts.

Question 31

Monique
A. travaille dans la marine.
B. est très appréciée du public.
C. surveille sans arrêt son mari.
D. a participé à la réussite de Frédéric.

LES QUESTIONS 32 À 35 CONCERNENT LE DOCUMENT SUIVANT.

Question 32

Ce document présente
A. l'opinion d'une personne interrogée dans la rue.
B. l'avis d'un vendeur de matériel électrique.
C. les arguments de vente d'un responsable marketing.
D. l'analyse d'un partisan du livre informatique.

Question 33

La personne interrogée
A. souhaite que le livre électronique soit plus léger.
B. vante la lisibilité du livre électronique.
C. prétend que les dimensions du livre électronique doivent être encore réduites.
D. pense que le prix d'un ordinateur portable s'alignera sur celui du livre électronique.

Question 34

Les réponses de la personne interrogée sont de nature à
A. troubler les utilisateurs d'Internet.
B. inciter les gens à acheter des livres classiques.
C. rassurer les éditeurs.
D. inquiéter les libraires.

Question 35

Le livre électronique, à l'avenir,
A. coûtera aussi cher qu'un ordinateur portable.
B. pourra faire l'objet d'un prêt gratuit.
C. nécessitera un apprentissage différent de la lecture.
D. coexistera avec le livre papier.

LE TEMPS EST VENU DE LIRE EN 3D

– Quelles sont les caractéristiques du livre électronique ?

– Le livre électronique ressemble à un livre de six cents pages, sinon qu'il peut contenir quinze mille pages. Il pèse neuf cents grammes. Son écran couleur fait vingt-cinq centimètres de long et dix de large. Il contient un modem et une connexion Internet. Sa lisibilité est extraordinaire car l'écran n'a rien à voir avec ceux des ordinateurs. De plus, chacun peut choisir la taille des caractères selon le confort de lecture qu'il recherche.

– Peut-il remplacer un jour le livre papier ?

– Non, il le complète. Le livre électronique est idéal pour lire autrement, ailleurs, pour avoir un cartable plus léger, pour emporter plein de livres en vacances dans une petite valise, pour recevoir son journal ou son courrier électronique confortablement et sans payer le prix d'un ordinateur portable.

– Est-ce la fin des éditeurs, des bibliothèques et des imprimeurs ?

– Non. Le livre électronique est un complément des livres classiques qui permettra d'en lire davantage, en achetant seulement le droit à un livre pendant quinze jours ou un mois. Les éditeurs auront toute leur place dans ce futur dispositif.

Section C

Questions 36 à 40

Dans le texte ci-contre, cinq phrases ont été supprimées.

Retrouvez chacune d'elles parmi les quatre phrases qui vous sont proposées et cochez votre réponse sur la fiche.

> **DES FEMMES « ACCROS » À LEUR VOITURE-BULLE**
>
> ***Une étude de presse dresse le portrait de ces irréductibles.***
>
> Proposez-leur un arrêt de bus à leur porte, sur une ligne desservie fréquemment par un matériel spacieux et non polluant : **...(36)....** Accros du volant, éprises du sentiment de « liberté » que semble leur donner leur automobile, ainsi sont les femmes « pro-voitures ». **...(37)....**
> La psychosociologue C. Espinasse a présenté les résultats d'une étude qualitative sur « les besoins et les stratégies des femmes pro-voitures ». Celle-ci a été réalisée avec P. Buhagiar à Rennes et à Nanterre, au cours du premier semestre 1999, auprès de ces irréductibles qui préfèrent la voiture pour se rendre au travail. **...(38)....** Parce que leur voiture, c'est leur monde, un lieu privé, un sas de décompression. « C'est une loge dont les hommes sont exclus » note la psychosociologue, où elles se sentent chez elles, écoutent la radio, chantent à tue-tête, se maquillent, boivent et mangent avec un plaisir sans bornes. **...(39)....**
> A contrario, les transports en commun empêchent l'ouverture de cette petite fenêtre de liberté. « Ils obligent les femmes à attendre. **...(40)....** Ils sont associés à la confrontation à l'autre, particulièrement pénible le matin. »
>
> D'après *Libération*.

Question 36

A. elles y monteront tout de suite.
B. elles n'en voudront pas.
C. elles hésiteront à y monter.
D. elles renonceront à leur voiture.

Question 37

A. Elles amusent les professionnels des transports en commun.
B. Les professionnels des transports en commun les approuvent.
C. Les professionnels des transports en commun ne désespèrent pas de les faire changer d'attitude.
D. Elles font le désespoir des professionnels des transports publics.

Question 38

A. Normal, leur quartier n'est pas bien desservi par les transports en commun.
B. Pourtant, elles considèrent leur quartier plutôt bien desservi par les transports en commun.
C. Logique, puisque les transports en commun sont rarement à l'heure.
D. Essentiellement parce que les transports en commun sont trop lents.

Question 39

A. Plaisir encore plus grand quand elles sont en présence de leur conjoint ou de leurs enfants.
B. Plaisir d'autant plus grand que c'est interdit.
C. Plaisir d'autant plus grand qu'elles ne pouvaient pas le faire chez elles.
D. Plaisir d'autant plus grand qu'elles ne sont accompagnées ni de leur conjoint, ni de leurs enfants.

Question 40

A. Ils les contraignent aussi à laisser leur voiture au garage.
B. Ils les forcent aussi à supporter les embouteillages.
C. Ils les forcent ensuite à voyager debout pendant des heures.
D. Ils les contraignent également à choisir un trajet.

Questions 41 à 45

Dans les textes suivants, les phrases ne sont pas dans l'ordre.
➯ **Reconstituez ces textes en mettant les phrases dans l'ordre et cochez votre réponse sur la fiche.**

Question 41

L'ART DE RÉUSSIR UNE FÊTE

1. Envoyer un plan d'accès détaillé à chaque participant.
2. Donner du rythme à la soirée avec de la musique dès l'apéritif.
3. Organiser un jeu au moment du dessert.
4. Dresser une jolie table avec une belle nappe et des bougies.

A. 4 – 2 – 3 – 1 B. 1 – 4 – 2 – 3 C. 2 – 1 – 4 – 3 D. 2 – 4 – 1 – 3

Question 42

AU SALON DU LIVRE

1. Plus d'une quarantaine d'auteurs québécois pourront ainsi être découverts.
2. Le public pourra ensuite dialoguer avec lui.
3. Chaque jour, les éditeurs présenteront une dizaine d'auteurs québécois au public du salon du livre.
4. Chaque auteur lira d'abord à l'assistance un de ses textes préférés.

A. 1 – 3 – 4 – 2 B. 2 – 4 – 1 – 3 C. 3 – 4 – 2 – 1 D. 3 – 2 – 1 – 4

Question 43

MASQUE HYDRA-DÉTOX

1. Appliquer le masque en couche épaisse sur le visage démaquillé.
2. Retirer l'excédent d'HYDRA-DÉTOX avec un mouchoir.
3. Nettoyer tout d'abord le visage à l'aide d'un produit démaquillant.
4. Rincez au bout de 30 minutes.

A. 1 – 3 – 2 – 4 B. 3 – 2 – 1 – 4 C. 3 – 1 – 2 – 4 D. 1 – 4 – 3 – 2

Question 44

CHERS AMIS,

1. Nous espérons vous revoir cet été à Aubin.
2. Nous vous remercions infiniment pour votre invitation.
3. En attendant, nous vous adressons notre très amical souvenir.
4. Malheureusement, à cause d'un déplacement professionnel, nous ne pourrons pas venir.

A. 1 – 3 – 4 – 2 B. 2 – 4 – 1 – 3 C. 2 – 4 – 3 – 1 D. 3 – 2 – 1 – 4

Question 45

CHER MONSIEUR,

1. Nous vous proposons de bénéficier du programme *Avantage Fidélité* que nous réservons à nos bons clients.
2. Afin de vous remercier de votre fidélité, nous souhaitons vous manifester de façon concrète notre reconnaissance.
3. Si vous souhaitez obtenir des informations sur *Avantage Fidélité*, votre conseiller se tient à votre disposition pour répondre à vos questions.

4. Avec mes remerciements pour votre fidélité, veuillez agréer, cher Monsieur, l'assurance de mes sentiments les meilleurs.

A. 2 – 3 – 1 – 4 B. 1 – 2 – 4 – 3 C. 2 – 1 – 3 – 4 D. 2 – 4 – 1 – 3

SECTION D

QUESTIONS 46 À 50

Dans cette section, cinq phrases sont proposées et, pour chacune d'elles, quatre reformulations.
➩ **Pour chaque question, choisissez la reformulation qui a le sens le plus proche de la phrase originale. Cochez votre réponse sur la fiche.**

QUESTION 46

Au cours de leurs recherches, les archéologues ont mis au jour une statue.
A. Les archéologues ont reconstitué une statue.
B. Les archéologues ont découvert une statue.
C. Les archéologues ont exposé une statue.
D. Les archéologues ont placé une statue en plein soleil.

QUESTION 47

Nous aurions pu réussir l'examen si nous avions travaillé davantage.
A. Nous n'aurions pas pu réussir l'examen sans travailler.
B. Nous aurions dû travailler plus pour réussir l'examen.
C. Nous aurions pu réussir l'examen en travaillant moins.
D. Nous n'aurions pas réussi l'examen, même en travaillant plus.

QUESTION 48

Je ne saurais vous dire le nombre exact de manifestants.
A. Je ne pourrais pas compter les manifestants, il y en a trop.
B. Je ne peux pas dire si les manifestants sont nombreux.
C. Je n'arriverais pas à vous dire tous les noms des manifestants.
D. Je ne pourrais pas vous donner le compte exact des manifestants.

QUESTION 49

Un petit repas dans ce restaurant, ça te dirait ?
A. Que veux-tu dire au sujet de ce restaurant ?
B. Ne devait-on pas manger dans ce restaurant ?
C. Ne m'as-tu pas dit que tu mangerais dans ce restaurant ?
D. Ça te ferait plaisir de manger dans ce restaurant ?

QUESTION 50

Il est resté de glace en apprenant la nouvelle.
A. La nouvelle l'a apparemment laissé insensible.
B. Il s'est ému en apprenant la nouvelle.
C. La nouvelle ne l'a pas vraiment étonné.
D. Il a mal réagi à l'annonce de la nouvelle.

TEST 1

DEUXIÈME ÉPREUVE OBLIGATOIRE

COMPRÉHENSION ORALE

60 questions · 40 minutes

SECTION A

QUESTIONS 51 À 54

Vous allez entendre, deux fois, un dialogue dans une agence de voyages. Le client souhaite connaître les différents moyens de transport pour se rendre à Londres. Voici les dessins de cinq moyens de transport différents.

A

B

C

D

E

➪ **Écoutez l'enregistrement et indiquez à quels dessins correspondent les quatre moyens de transport mentionnés.**
➪ **Attention, il y a cinq dessins pour seulement quatre moyens de transport mentionnés.**

QUESTION 51

Premier moyen de transport

A. Dessin A
B. Dessin B
C. Dessin C
D. Dessin D
E. Dessin E

QUESTION 52

Deuxième moyen de transport

A. Dessin A
B. Dessin B
C. Dessin C
D. Dessin D
E. Dessin E

QUESTION 53

Troisième moyen de transport

A. Dessin A
B. Dessin B
C. Dessin C
D. Dessin D
E. Dessin E

QUESTION 54

Quatrième moyen de transport

A. Dessin A
B. Dessin B
C. Dessin C
D. Dessin D
E. Dessin E

QUESTIONS 55 À 58

Vous allez entendre, deux fois, Paul donner son emploi du temps de la semaine.
Voici les dessins de cinq heures de rendez-vous de l'emploi du temps de Paul.

A

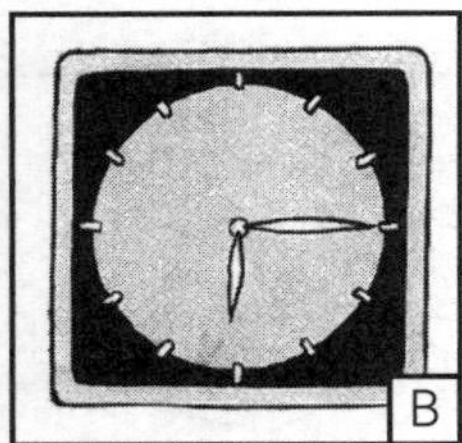
B

C

D

E

➩ **Écoutez l'enregistrement et indiquez à quelle heure correspond chacun des rendez-vous mentionnés par Paul.**
➩ **Attention, il y a cinq dessins pour seulement quatre horaires donnés.**

QUESTION 55

Rendez-vous de lundi

A. Dessin A
B. Dessin B
C. Dessin C
D. Dessin D
E. Dessin E

QUESTION 56

Rendez-vous de mardi

A. Dessin A
B. Dessin B
C. Dessin C
D. Dessin D
E. Dessin E

QUESTION 57

Rendez-vous de jeudi

A. Dessin A
B. Dessin B
C. Dessin C
D. Dessin D
E. Dessin E

QUESTION 58

Rendez-vous de vendredi

A. Dessin A
B. Dessin B
C. Dessin C
D. Dessin D
E. Dessin E

SECTION B

QUESTIONS 59 À 70

Vous allez entendre six messages sur répondeur téléphonique.
➩ **Indiquez pour chacun de ces six messages s'il a un caractère familial, amical, professionnel ou publicitaire, en cochant A, B, C ou D.**

Exemple :

Vous entendez le message suivant : « Comment vas-tu Daniel, c'est Catherine de l'École des Beaux-Arts. Je t'appelle pour te dire que c'est d'accord pour le cinéma, vendredi soir. »

☐ A Familial
■ B Amical
☐ C Professionnel
☐ D Publicitaire

Vous devez cocher « B ».

Écoutez les messages une première fois et répondez aux questions.

QUESTION 59

Message 1

A. Familial
B. Amical
C. Professionnel
D. Publicitaire

QUESTION 60

Message 2

A. Familial
B. Amical
C. Professionnel
D. Publicitaire

QUESTION 61

Message 3

A. Familial
B. Amical
C. Professionnel
D. Publicitaire

QUESTION 62

Message 4

A. Familial
B. Amical
C. Professionnel
D. Publicitaire

QUESTION 63

Message 5

A. Familial
B. Amical
C. Professionnel
D. Publicitaire

QUESTION 64

Message 6

A. Familial
B. Amical
C. Professionnel
D. Publicitaire

Vous allez entendre une deuxième fois chacun des six messages.
Indiquez pourquoi la personne appelle.

Exemple :

Vous entendez une deuxième fois le message suivant : « Comment vas-tu Daniel, c'est Catherine de l'École des Beaux-Arts. Je t'appelle pour te dire que c'est d'accord pour le cinéma, vendredi soir. »
Elle appelle pour

☐ A refuser une invitation.
☐ B donner une adresse.
■ C confirmer un rendez-vous.
☐ D féliciter.

Vous devez cocher « C ».

Écoutez l'enregistrement et répondez aux questions.

QUESTION 65

Message 1

Il ou elle appelle pour
A. inviter à dîner.
B. offrir un cadeau.
C. annoncer l'ouverture d'un magasin.
D. confirmer un rendez-vous.

QUESTION 66

Message 2

Il ou elle appelle pour
A. refuser une invitation.
B. accepter un dîner.
C. inviter à une fête.
D. proposer une sortie.

QUESTION 67

Message 3

Il ou elle appelle pour
A. demander des nouvelles de Joseph.
B. proposer un voyage en Hongrie.
C. demander de travailler à la place de Joseph.
D. proposer une place de secrétaire.

QUESTION 68

Message 4

Il ou elle appelle pour
A. prendre rendez-vous.
B. décaler un rendez-vous.
C. confirmer un rendez-vous.
D. annuler un rendez-vous.

Question 69

Message 5

Il ou elle appelle pour
A. inviter M. Berg à la réunion.
B. se réunir à Luxembourg.
C. annuler la réunion.
D. suggérer de reporter la réunion.

Question 70

Message 6

Il ou elle appelle pour
A. inviter à aller chercher un cadeau.
B. offrir une cuisine spéciale.
C. inviter à une opération commerciale.
D. annoncer l'ouverture d'un magasin.

Questions 71 à 78

Vous allez entendre trois messages enregistrés dans un lieu public.
Attention, vous n'entendrez chaque message qu'une fois.
Lisez d'abord les questions correspondant à chaque message.
Puis écoutez le message et répondez aux questions.

Message 1

Question 71

Ce message est diffusé
A. dans une école.
B. dans un magasin.
C. dans une administration publique.
D. dans une salle de sport.

Question 72

Quel est le but de ce message ?
A. S'excuser.
B. Appeler les autorités.
C. Demander de partir.
D. Inviter.

Message 2

Question 73

Ce message est diffusé
A. dans une gare.
B. dans une station de bus.
C. dans une station de métro.
D. dans un aéroport.

Question 74

Il s'adresse
A. aux voyageurs dans l'aéroport.
B. aux voyageurs dans le train.
C. aux voyageurs qui vont à Lausanne.
D. aux gens qui sont à la gare de Paris-Lyon.

Question 75

Les voyageurs arriveront avec un retard
A. d'un quart d'heure.
B. d'une demi-heure.
C. de trois quarts d'heure.
D. de quatre heures.

Message 3

Question 76

Cette annonce s'adresse
A. aux livreurs.
B. aux garagistes.
C. aux camionneurs.
D. aux propriétaires de voitures.

Question 77

Elle leur demande de
A. déplacer leurs voitures.
B. descendre de leur véhicule.
C. se rendre à l'accueil.
D. se garer Chemin-des-Lilas.

Question 78

Pour quelle raison
ce message est-il diffusé ?
A. Il y a eu un accident Chemin-des-Lilas.
B. Des voitures gênent les livraisons.
C. Les camions roulent trop vite.
D. Le parking est complet.

Questions 79 à 84

Vous allez entendre six informations courtes extraites d'un journal radiophonique.
Attention, vous n'entendrez qu'une fois chaque information.
⇨ **Indiquez, pour chacune de ces informations, à quelle rubrique de ce journal elle appartient.**

Question 79

Information 1

A. Politique
B. Tourisme
C. Économie
D. Société

Question 80

Information 2

A. Tourisme
B. Météo
C. Spectacles
D. Sciences

Question 81

Information 3

A. Régions
B. Faits divers
C. Société
D. Sport

Question 82

Information 4

A. Finances
B. Tourisme
C. Faits divers
D. Société

Question 83

Information 5

A. Économie
B. Sports
C. Météo
D. Santé

Question 84

Information 6

A. Sciences
B. Culture
C. Tourisme
D. Société

Section C

Questions 85 à 90

Vous allez entendre six personnes répondre à la question : « Vous sentez-vous en sécurité dans votre ville ? »
Attention, vous n'entendrez qu'une fois chaque personne.
➩ **Indiquez si la personne interrogée**

A. se sent en sécurité.
B. se sent peu en sécurité.
C. ne se sent pas du tout en sécurité.
D. n'a pas d'avis sur la question.

Question 85

La personne 1
A. se sent en sécurité.
B. se sent peu en sécurité.
C. ne se sent pas du tout en sécurité.
D. n'a pas d'avis sur la question.

Question 86

La personne 2
A. se sent en sécurité.
B. se sent peu en sécurité.
C. ne se sent pas du tout en sécurité.
D. n'a pas d'avis sur la question.

Question 87

La personne 3
A. se sent en sécurité.
B. se sent peu en sécurité.
C. ne se sent pas du tout en sécurité.
D. n'a pas d'avis sur la question.

Question 88

La personne 4
A. se sent en sécurité.
B. se sent peu en sécurité.
C. ne se sent pas du tout en sécurité.
D. n'a pas d'avis sur la question.

Question 89

La personne 5
A. se sent en sécurité.
B. se sent peu en sécurité.
C. ne se sent pas du tout en sécurité.
D. n'a pas d'avis sur la question.

Question 90

La personne 6
A. se sent en sécurité.
B. se sent peu en sécurité.
C. ne se sent pas du tout en sécurité.
D. n'a pas d'avis sur la question.

Questions 91 à 100

Vous allez entendre, deux fois, trois longs messages.
➩ **Pour chaque message, lisez d'abord les questions.**

Vous allez entendre une première fois l'enregistrement.
➩ **Commencez à répondre.**

Vous allez entendre une deuxième fois l'enregistrement.
➩ **Complétez vos réponses.**

Message 1

Question 91

Le festival « Banlieues bleues » a lieu
A. dans une ville de banlieue.
B. dans 16 villes.
C. dans Paris.
D. dans plusieurs villes internationales.

Question 92

Le festival « Banlieues bleues » présente
A. des artistes locaux.
B. des artistes nationaux.
C. des artistes régionaux.
D. des artistes internationaux.

Question 93

Le festival « Banlieues bleues » a
A. un tarif unique.
B. un horaire unique.
C. un point de vente unique.
D. une date unique.

Message 2

Question 94

Lucas Bernardi est
A. sociologue.
B. photographe.
C. économiste.
D. écologiste.

Question 95

Lucas Bernardi a une image du monde
A. assez noire.
B. plutôt optimiste.
C. complètement neutre.
D. très joyeuse.

Question 96

Pour Lucas Bernardi, la majorité de la population mondiale
A. contrôle son destin.
B. bénéficie d'une protection sociale.
C. est victime de systèmes qu'elle ne maîtrise pas.
D. s'enrichit sur le dos des autres.

Question 97

Selon Lucas Bernardi,
A. l'émigration est inévitable.
B. les populations se déplacent dans le sens des flux économiques.
C. les pays les plus pauvres suivent les pays riches dans leur développement.
D. l'exil est un phénomène en régression.

Message 3

Question 98

Le nombre de journalistes en détention est
A. en régression.
B. en stagnation.
C. en amélioration.
D. en augmentation.

Question 99

La presse jouirait d'une liberté totale dans
A. 38 pays.
B. tous les États-Unis.
C. les pays des Nations-Unies.
D. environ 30 pays des Nations-Unies.

Question 100

L'association *Reporters sans frontières* met en vente
A. une revue.
B. un disque.
C. un recueil de photos.
D. une bande dessinée.

Section D

Questions 101 à 110

Vous allez entendre dix phrases enregistrées.
Attention, vous n'entendrez chaque phrase qu'une fois.
➪ **La phrase que vous entendez correspond-elle à la phrase que vous lisez sur votre feuille ?**

Exemple :
Vous entendez : « Il a bouché la bouteille. »
Vous lisez : « Il a bougé la bouteille. »
☐ A oui
■ B non
Vous devez donc cocher « B ».

Question 101

Qu'est-ce que tu veux, il fait ce qu'il peut !
A. oui
B. non

Question 102

Il n'y a pas de joie.
A. oui
B. non

Question 103

Sa chambre est au-dessus.
A. oui
B. non

Question 104

Il a fendu du bois.
A. oui
B. non

Question 105

Elle préfère le thé indien.
A. oui
B. non

Question 106

Ces gares sont modernes.
A. oui
B. non

Question 107

Nous l'avons vu hier.
A. oui
B. non

Question 108

Tout va bien.
A. oui
B. non

Question 109

Ça coûte cinq dollars.
A. oui
B. non

Question 110

Ils s'entendent mal.
A. oui
B. non

TEST 1

TROISIÈME ÉPREUVE OBLIGATOIRE

LEXIQUE / STRUCTURE

40 questions — 30 minutes

SECTION A

QUESTIONS 111 À 120

Cochez sur la fiche la réponse qui vous paraît exacte.

QUESTION 111

Envoyez votre règlement avant le 31 mars, le ...... de la poste faisant foi.

A. bureau
B. cachet
C. facteur
D. guichet

QUESTION 112

Nous avons rendez-vous dans ......, vers 10 heures.

A. l'après-midi
B. le jour
C. le matin
D. la matinée

QUESTION 113

On sera sûr de trouver du fil, des boutons et des aiguilles dans une ....

A. blanchisserie
B. droguerie
C. quincaillerie
D. mercerie

QUESTION 114

Dans ce guide touristique, vous trouverez une sélection d'hôtels de bon confort ...... sur tout le territoire.

A. disposés
B. échelonnés
C. répartis
D. partagés

QUESTION 115

La réussite de Jacques est ...... plus surprenante qu'il n'avait rien révisé !

A. d'autant
B. pour autant
C. autant
D. autant de

QUESTION 116

À l'issue des négociations, le patronat et les syndicats ont signé ....

A. le bilan
B. l'état des lieux
C. l'ordre du jour
D. le protocole d'accord

QUESTION 117

Dans cet article, il ...... de proposer une aide gouvernementale aux personnes défavorisées.

A. semble
B. s'agit
C. s'intéresse
D. pense

QUESTION 118

Au restaurant :
– Qu'est ce que vous prenez ?
– Pour moi, ... du jour.

A. l'assiette
B. la carte
C. le plat
D. le plateau

Question 119

Afin d'utiliser cet appareil dans les meilleures conditions, lisez attentivement ....

A. l'avis
B. le formulaire
C. la notice
D. le procédé

Question 120

J'ai ...... à vous demander ce service, vous êtes si occupé en ce moment !

A. des doutes
B. des scrupules
C. des préjugés
D. des soupçons

Section B

Questions 121 à 125

➩ **Dans le texte suivant, choisissez le mot ou groupe de mots qui a le sens le plus proche du mot ou groupe de mots souligné.**

L'AGRICULTURE BIOLOGIQUE

L'idée d'agriculture biologique voit le jour en Europe, dans les années 1920, sous l'impulsion **(121)** d'un philosophe allemand, Rudolf Steiner.
Il s'agit d'une agriculture exempte **(122)** d'engrais chimiques, de pesticides ou d'herbicides de synthèse, basée sur le respect des saisons et des écosystèmes.
Grâce à des techniques à la fois très anciennes et sophistiquées **(123)**, elle préserve **(124)** l'équilibre entre les organismes vivants qui habitent les sols et les arbres et les ressources naturelles.
En France, en 1980, l'État a reconnu officiellement l'agriculture biologique et ses produits et a créé, huit ans plus tard, le label « AB » **(125)**.

Question 121

A. la découverte
B. l'expérience
C. l'influence
D. le raisonnement

Question 122

A. dépourvue
B. enrichie
C. fertilisée
D. recyclée

Question 123

A. complexes
B. innovantes
C. naturelles
D. rudimentaires

Question 124

A. obtient
B. protège
C. recherche
D. retrouve

Question 125

A. l'enseigne
B. le logo
C. la norme
D. la règle

Section C

Questions 126 à 145

➩ Cochez sur la fiche la réponse qui vous paraît exacte.

Question 126

Le ciel est gris ; je ne crois pas que la pluie ...... cesser aujourd'hui.

A. aille
B. allait
C. a
D. va

Question 127

Je t'appelle pour ...... communiquer mon nouveau numéro de téléphone.

A. le
B. me
C. se
D. te

Question 128

Le samedi après-midi, les enfants ...... souvent du sport avec leurs copains.

A. faire
B. faisons
C. font
D. faites

Question 129

Ils ...... sortir ce soir.

A. veulent
B. veut
C. voulez
D. voulons

Question 130

Le directeur est en mission ...... vendredi 10 mai.

A. déjà
B. jusqu'au
C. pendant
D. pour

Question 131

J'ai acheté les chaussures ...... j'avais envie.

A. que
B. dont
C. auxquelles
D. desquelles

Question 132

Tu étais au courant ? Elle ne m'a jamais ...... dit à ce sujet.

A. déjà
B. encore
C. plus
D. rien

Question 133

Des amis m'ont invitée dans l'appartement ...... ils ont emménagé depuis peu.

A. auquel
B. dont
C. où
D. qu'

Question 134

Quand le coureur ...... la ligne d'arrivée, le public l'a acclamé.

A. a passé
B. passe
C. passerait
D. est passé

Question 135

...... prend des cours de piano, il a fait de réels progrès.

A. Dès qu'il
B. Pendant qu'il
C. Quand il
D. Depuis qu'il

Question 136

Donne-moi un stylo s'il te plaît, le bleu ou le noir, n'importe ....

A. comment
B. lequel
C. quel
D. quoi

Question 137

Ce serait possible mardi après-midi, ... un autre jour ne vous convienne mieux.

A. à moins qu'
B. alors qu'
C. pourvu qu'
D. soit qu'

Question 138

Ses cousins et ses cousines sont si nombreux qu'il ne les connaît pas ....

A. tout
B. toutes
C. tous
D. toute

Question 139

Pierre et Anne ont habité à Paris ...... deux ans.

A. pour
B. vers
C. cependant
D. pendant

Question 140

Paul ne sait pas encore la nouvelle. Je vais ...... annoncer.

A. l'y
B. lui l'
C. la lui
D. lui en

Question 141

J'ai mis de côté ces documents pour que vous les ...... dès votre retour.

A. envoyiez
B. envoyez
C. envoyer
D. envoyaient

Question 142

Auriez-vous une cravate qui ...... avec ce costume et cette chemise ?

A. aille
B. ira
C. va
D. allait

Question 143

Il y avait longtemps que nous ...... d'aller nous installer à la campagne.

A. aurons décidé
B. avions décidé
C. avons décidé
D. sommes décidés

Question 144

Quelle heure ...... ?

A. c'est
B. est-elle
C. est-il
D. y a-t-il

Question 145

Le code d'entrée, tu ...... souviendras ?

A. te le
B. t'en
C. t'y
D. le te

Section D

Questions 146 à 150

Dans certaines phrases du texte suivant, des parties (A, B, C, D) ont été soulignées.
L'une de ces parties est incorrecte.

➪ **Cochez sur la fiche la réponse correspondant à la partie incorrecte.**

GREFFE : LES MAINS D'UN AUTRE

Exemple :

Depuis janvier 2000, en France, un jeune peintre en bâtiment de (A) trente-trois ans vit (B) avec une partie des avant-bras (C) et les mains d'un autre homme, récemment décédés (D).

Dans cette première phrase, il faut cocher « D » car la formulation correcte est « décédé ».

Question 146

Le patient avait perdu les siens (A) en (B) 1996, lorsque (C) l'explosion d'une fusée artisanale (D).

Question 147

L'opération a duré (A) dix-sept heures ; elle a mobilisé une équipe internationale (B) de chirurgiens, spécialistes en transplantation, orthopédie et micro-chirurgie, soient (C) un total de cinquante participants (D).

Question 148

Après la polémique (A) suscitée pour (B) sa précédente intervention – la première greffe de main en septembre (C) 1998 – le chirurgien a consulté (D) un groupe d'experts.

Question 149

Ces spécialistes l'ont autorisé à (A) pratiquer cinq (B) doubles greffes, estimants (C) que le bénéfice serait supérieur chez les personnes privées (D) de leurs deux mains.

Question 150

Des (A) nouvelles tentatives sont d'ores et déjà (B) prévues pour les prochains mois : les chirurgiens espèrent ainsi pouvoir redonner (C) un peu de liberté aux personnes amputées bilatéralement et aux enfants nés sans mains (D).

TEST 1

PREMIÈRE ÉPREUVE FACULTATIVE

EXPRESSION ÉCRITE

1 heure

SECTION A

Voici le début d'un article de presse.

À vous de terminer cet article :
– en ajoutant à la suite un texte de 80 à 100 mots ;
– en faisant plusieurs paragraphes.

BÉBÉ EN VOYAGE

Un bébé âgé d'environ 18 mois a été retrouvé seul, dimanche soir, dans une gare. (...)

....

....

....

....

....

....

....

....

....

....

....

....

....

....

....

SECTION B

Vous avez lu l'affirmation suivante dans un article de journal :
« Il est inutile de connaître une autre langue étrangère que l'anglais. »

Écrivez une lettre au journal pour dire ce que vous en pensez. (200 mots environ)
Développez au moins <u>3 arguments</u> pour défendre votre point de vue.

TEST 1

DEUXIÈME ÉPREUVE FACULTATIVE

EXPRESSION ORALE

35 minutes

SECTION A

Préparation : 10 minutes
Durée : 5 minutes

Vous avez vu l'annonce ci-contre dans la vitrine d'une agence de voyages. Vous entrez pour avoir des renseignements sur les deux voyages proposés.

⇨ Préparez une dizaine de questions. L'examinateur joue le rôle du vendeur de l'agence.

SECTION B

Préparation : 10 minutes
Durée : 10 minutes

Un(e) de vos ami(e)s a envie de participer à une action humanitaire. Vous avez lu l'annonce ci-dessous dans un magazine.

⇨ 1. Vous devez lui présenter le contenu de cette annonce.
⇨ 2. Vous devez le (la) convaincre de participer à cette action.
L'examinateur joue le rôle de votre ami(e).

QUELQUE PART, UN ENFANT A BESOIN DE VOUS.

La guerre, la misère ont fait d'eux des enfants abandonnés ou orphelins. Que vont-ils devenir ? Enfance SOS redonne à ces enfants un environnement familial, une maison et un nouvel espoir dans la vie. Dans des villages d'enfants, ils sont nourris, soignés, cajolés. Ils vont à l'école et apprennent un métier.

Participez à notre action. Aidez l'un de ces enfants. Devenez son parrain ou sa marraine. Un véritable lien affectif se créera entre lui et vous au fil des mois et des années. Vous suivrez ses pas dans la vie jusqu'à l'âge adulte. Il vous racontera son école, sa vie, ses jeux, vous accompagnerez ses progrès. Il vous dessinera son village, son ciel, son espoir retrouvé. Vous pouvez aider ces enfants en participant à notre action ou en envoyant vos dons à Enfance SOS, BP 41, 31000 Toulouse.

II TEST 2

PREMIÈRE ÉPREUVE OBLIGATOIRE

COMPRÉHENSION ÉCRITE

50 questions 1 heure

Avant de commencer le test, découpez la fiche de réponses p. 128.

SECTION A

Dans cette section, vous prendrez connaissance de cinq documents et vous répondrez à plusieurs questions pour chacun d'eux.

Pour chaque question, cochez votre réponse sur la fiche.

LES QUESTIONS 1 ET 2 CONCERNENT LES DOCUMENTS SUIVANTS.

QUESTION 1

Document 1

On peut trouver cette inscription sur
A. des vêtements.
B. des meubles.
C. des aliments.
D. des livres.

À CONSERVER AU FRAIS

doc. 1

QUESTION 2

Document 2

Où peut-on lire ce panneau ?
A. Au bureau.
B. Au bord d'une rivière.
C. Dans un champ.
D. Sur un autobus.

doc. 2

LES QUESTIONS 3 ET 4 CONCERNENT LE DOCUMENT SUIVANT.

QUESTION 3

Le document présente
A. le résultat d'un sondage.
B. la projection des problèmes à venir.
C. le diagnostic de problèmes psychologiques.
D. le rapport d'un ministère.

QUESTION 4

Dans ce graphique, les indicateurs sont classés
A. par ordre décroissant.
B. par ordre alphabétique.
C. par hasard.
D. par ordre croissant.

« Selon vous, quels sont les problèmes les plus graves que connaissent les jeunes Français d'aujourd'hui ? »

la solitude	19 %
l'accès au logement	20 %
l'alcool	20 %
le SIDA	40 %
le manque d'argent	42 %
la drogue	50 %
la violence	60 %
le chômage	76 %

Les questions 5 à 7 concernent le document suivant.

La ville de ROUEN

s'est développée dès l'époque romaine, à la hauteur du premier pont sur la Seine. Son site peut évoquer celui de Paris : mêmes collines en amphithéâtre, mêmes chaussées naturelles hors de portée des inondations. Ville phare de la Normandie, son essor industriel date du XIXe siècle et son activité portuaire s'est accrue au XXe siècle.

Question 5

Ce texte est extrait
- A. d'une critique littéraire.
- B. d'une lettre amicale.
- C. d'un guide touristique.
- D. d'un roman.

Question 6

Ce texte décrit
- A. la Seine.
- B. Rouen.
- C. Paris.
- D. la Normandie.

Question 7

Ce texte est écrit pour
- A. renseigner.
- B. amuser.
- C. convaincre.
- D. faire une critique.

Les questions 8 à 10 concernent le document suivant.

NORMAN ALEX

Conseil en recrutement spécialisé

Pour faire face à son important développement, notre cabinet de conseil NORMAN ALEX s'installe dans des bureaux plus importants.

Nos nouvelles coordonnées sont :

NORMAN ALEX
Château Amiral – 42, boulevard d'Italie – 98000 Monaco
Tél : (00 377) 97 70 61 31 – Télécopie : (00 377) 97 70 61 32
e-mail : normanalex@infonie.fr

Contacts : Ivor ALEX
Frederico QUINTO (division Italie)

Question 8

Quelle est la nature de ce document ?
- A. Une annonce publicitaire.
- B. Une information à la clientèle.
- C. Une carte de visite.
- D. Une offre d'emploi.

Question 9

La société est située
- A. en France.
- B. en Italie.
- C. à Monaco.
- D. aux États-Unis.

Question 10

Quel est l'objectif principal de ce document ?
- A. Recruter des salariés.
- B. Informer du développement de l'entreprise.
- C. Annoncer un changement de locaux.
- D. Renseigner sur l'achat de mobilier de bureau.

Section B

Dans cette section, vous prendrez connaissance de sept documents et vous répondrez à plusieurs questions pour chacun d'eux.

Pour chaque question, cochez votre réponse sur la fiche.

Les questions 11 à 13 concernent le document suivant.

Êtes-vous un fou de chocolat ?

■ Charles Dulvat
37 ans
Commercial
« Je me drogue au chocolat ! La tablette de 200 grammes, je l'engloutis en dix minutes. Je mange environ trois tablettes par semaine. À 12 euros le kilo, cela revient moins cher que la viande ! À côté de cela, aux repas, je ne mange pas grand-chose. Le chocolat, je l'aime de toutes les façons, qu'il soit noir, fourré aux raisins, rempli de noisettes. C'est aussi une récompense. Mais attention, il doit toujours être de qualité. »

■ Alexandra Vaccariello
21 ans
Étudiante
« Je n'exagère pas ma consommation. À quoi bon, ça gâche le plaisir. Au contraire, il faut être gourmet. Quand je trouve un bon chocolatier, je lui achète très souvent son chocolat, légèrement amer, qui doit contenir au moins 70 % de cacao. Je fais très attention à la qualité car il y a tellement de variétés de chocolat. Un bon moment, c'est pouvoir croquer du chocolat accompagné d'un café, ce qui en fait ressortir le goût. »

■ Charly Tankoua
58 ans
Ingénieur
« Des folies, j'en ai fait. Mais c'est fini, depuis trois ans. Même si on m'offre du chocolat, je le refuse systématiquement. Auparavant, je travaillais dans une confiserie où les tentations étaient grandes. Après avoir mangé beaucoup de chocolat, j'ai eu énormément de caries. Comme je voulais garder une dentition présentable, j'ai arrêté toute consommation de chocolat. À la place, je bois des cafés. »

Question 11

Quelle personne dit avoir mangé trop de chocolat ?
A. Charles Dulvat.
B. Alexandra Vaccariello.
C. Charly Tankoua.
D. Aucune des trois.

Question 12

Quelle personne mange le plus de chocolat et le plus régulièrement ?
A. Charles Dulvat.
B. Alexandra Vaccariello.
C. Charly Tankoua.
D. Aucune des trois.

Question 13

Quelle personne dit ne manger du chocolat qu'à l'occasion des fêtes ?
A. Charles Dulvat.
B. Alexandra Vaccariello.
C. Charly Tankoua.
D. Aucune des trois.

LES QUESTIONS 14 À 17 CONCERNENT LE DOCUMENT SUIVANT.

LES « PARCS-RELAIS »

Un parc-relais est un parking situé à proximité immédiate d'une station de tramway, de métro, voire d'autobus, dans lequel l'automobiliste peut laisser sa voiture. Il continue alors son voyage en transport en commun, généralement vers le centre-ville, là où la place manque pour circuler ou stationner. Mais cela ne suffit pas. La réussite du parc-relais dépend des conditions d'accueil des voitures : il doit être gardé. Et une formule tarifaire attractive doit être proposée aux automobilistes. C'est Strasbourg qui a montré la voie, suivie par Nantes et Montpellier : le conducteur de la voiture paie pour la journée une somme correspondant à environ une heure de stationnement en centre-ville, et reçoit gratuitement autant de billets aller-retour en tramway qu'il y a de passagers dans son véhicule. Succès assuré à Strasbourg, où plusieurs milliers de places sont ainsi offertes aux citadins, comme à Nantes. Sur la foi de ce résultat, la pratique de « l'intermodalité », selon le terme en usage, est appelée à se développer dans d'autres villes, à commencer par Montpellier et Orléans.

D'après *Le Monde.*

QUESTION 14

Les parcs-relais se situent
A. en centre-ville.
B. en périphérie.
C. dans une station de métro.
D. dans un jardin.

QUESTION 15

Le succès des parcs-relais est lié
A. à la gratuité du service.
B. à la mentalité des automobilistes.
C. à la grève des tramways.
D. à la surveillance des voitures.

QUESTION 16

À Strasbourg, on offre
A. des places de parking gratuites.
B. des tickets de tramway gratuits.
C. des locations de véhicules gratuites.
D. des heures de stationnement en centre-ville.

QUESTION 17

L'intermodalité
A. est un succès à Montpellier et Orléans.
B. se développera à Strasbourg et Nantes.
C. est une réussite à Strasbourg et Nantes.
D. a commencé à Montpellier et Nantes.

Les questions 18 à 20 concernent le document suivant.

De : d.vandenhend@viabis.com
Pour : h.dupont@viabis.com
c.c. : m.petit@viabis.com

Objet : à tous les internautes détenteurs de portables...

Gare au piratage de la ligne portable !

Depuis quelques temps des escrocs ont trouvé un moyen d'utiliser frauduleusement vos portables. Si une personne vous téléphone et se présente comme votre fournisseur de service et demande de rappeler un numéro et de composer ensuite votre code confidentiel en expliquant qu'il s'agit de vérifier le bon fonctionnement de votre appareil, NE RÉPONDEZ SURTOUT PAS ET RACCROCHEZ IMMÉDIATEMENT. Vos factures augmenteraient sans commune mesure. En effet, ils disposent d'outils permettant de lire votre numéro de carte et d'en créer une nouvelle. Cette fraude est actuellement pratiquée à grande échelle, il est impératif d'être très vigilant. Nous vous recommandons de prévenir toute personne susceptible d'être piégée.
Informez donc vos amis, vos proches et vos collègues de travail.

Question 18

Ce message est diffusé
A. dans un journal.
B. sur Internet.
C. à la télévision.
D. dans une note de service.

Question 19

Le principe de la fraude consiste
A. à piéger votre portable.
B. à voler votre carte.
C. à composer de faux numéros.
D. à déchiffrer votre code.

Question 20

Si vous ne prenez pas en compte ce message, vous risquez
A. de ne plus téléphoner à vos amis et à vos proches.
B. de payer de lourdes factures téléphoniques.
C. d'endommager votre portable.
D. de voir votre abonnement téléphonique s'arrêter.

Les questions 21 à 24 concernent le document suivant.

GRANDE ENQUÊTE DE CONSOMMATION

Savez-vous que plus de 7 nouveaux produits sur 10 disparaissent dans l'année suivant leur commercialisation car ils ne correspondent pas aux besoins des consommateurs ?

Nous avons décidé d'effectuer un grand sondage afin de déterminer les raisons pour lesquelles des milliers de nouveaux produits meurent chaque année.

En remplissant le questionnaire ci-joint, vous pourrez aider les entreprises à mieux cibler les besoins et les attentes des consommateurs à l'égard de nombreux produits.
Pour notre étude, il est impératif que vous remplissiez la case « fiche signalétique » en mentionnant votre identité et votre domiciliation.
Ce sondage ne vous prendra que quelques minutes et si vous nous le renvoyez dans les délais indiqués vous pourrez bénéficier d'offres spéciales et de bons de réduction sur les nouveaux produits préférés des ménages. Vous serez de même inscrit(e) sur une liste de consommateurs de marque. Tous les nouveaux produits sur le marché des cosmétiques vous seront automatiquement offerts.
Vous n'êtes pas obligé(e) de répondre à toutes les questions. Si vous n'avez pas d'avis particulier sur telle ou telle question, passez à la suivante.
Vos réponses sont confidentielles et personnelles et ne pourront en aucun cas être utilisées ou divulguées à de tierces personnes à des fins publicitaires.

Nous vous remercions par avance pour votre participation à cette enquête.

Question 21

Cette enquête va servir
A. aux entreprises.
B. aux publicitaires.
C. aux cosmétologues.
D. aux consommateurs.

Question 22

Pour qu'elle soit valable, il faut
A. répondre à toutes les questions.
B. garder votre anonymat.
C. donner votre nom et adresse.
D. la renvoyer rapidement.

Question 23

En échange, vous pourrez
A. gagner des produits ménagers.
B. bénéficier de tarifs préférentiels.
C. profiter de soins de beauté.
D. participer à une loterie.

Question 24

Ce sondage est effectué pour
A. mieux cibler la demande.
B. tester vos connaissances.
C. vendre des produits de marque.
D. augmenter l'offre.

Les questions 25 à 27 concernent le document suivant.

Je suis divorcé, père de trois enfants. J'ai la quarantaine, grand, blond aux yeux marron. Je suis directeur marketing dans une grande société d'import export. J'aime le cinéma, et je pratique plusieurs sports : le tennis, la planche à voile et le jogging. J'adore les voyages, surtout dans les pays chauds. Je recherche une femme d'environ le même âge que moi pour une relation sérieuse. Grande, intelligente et sportive, elle doit être passionnée par la vie, ouverte d'esprit, avec un certain goût pour l'aventure. Jean-Paul Réf. A4590

Question 25

Que sait-on avec certitude de Jean-Paul ?
A. Il est sportif, grand et jeune.
B. Il est blond, d'âge moyen et père de famille.
C. Il est intelligent, sportif et aventurier.
D. Il est grand, sérieux et marié.

Question 26

Que sait-on de la situation professionnelle de Jean-Paul ?

A. Il est au chômage.
B. Il est retraité.
C. Il dirige une société d'import export.
D. Il travaille dans le marketing.

Question 27

Comment est la femme que Jean-Paul recherche ?

A. Elle est très jeune et intelligente.
B. Elle est sérieuse et timide.
C. Elle est petite et aventurière.
D. Elle est sportive et gaie.

LES QUESTIONS 28 À 31 CONCERNENT LE DOCUMENT SUIVANT.

UN PIÈGE POUR LES BALEINES ...

Sans doute attirées par une espèce particulière de poissons, des baleines blanches sont remontées vers le nord du Canada en suivant d'immenses fissures dans la banquise. Mais un refroidissement soudain a transformé ces prédateurs en proies, la glace se refermant sur elles. Des ours polaires les ont rapidement repérées et les ont attaquées jusqu'à ce qu'elles soient assez faibles pour être traînées hors de l'eau. *« C'est brutal et ce n'est pas joli à voir »*, déclare un écologiste canadien. Il se félicite de cette occasion unique offerte cette année à quelques privilégiés de voir *« le côté noir de la nature »*, celui qu'on ne voit pas souvent à la télévision ou dans les films de Walt Disney.

Selon les spécialistes, ce phénomène se produit sans doute tous les ans (le plus important de notre histoire récente a rassemblé plusieurs centaines de baleines près du Groenland dans les années 60). Mais ce qui est rare, c'est de pouvoir y assister.

Les baleines ont survécu en maintenant une ouverture de quelques dizaines de mètres carrés, qui leur permet de remonter à la surface pour respirer. Une communauté Inuit s'est aussi mobilisée pour sauver les baleines. Ils ont utilisé des sortes de tire-bouchons géants et des scies pour forer une demi-douzaine de trous afin que les baleines puissent respirer. Ils espèrent ainsi pouvoir les guider vers la mer.

Les scientifiques aimeraient pouvoir effectuer des recherches sur ce phénomène biologique mais ils ont du mal à trouver des financements pour des expéditions coûteuses, surtout en urgence.

Ce phénomène n'a cependant rien d'alarmant, soulignent les chercheurs. Ils savent que dans quelques mois, le détroit de Lancaster sera de nouveau envahi de baleines blanches qui attendront que la glace se fissure.

Question 28

Ce texte

A. présente un documentaire télévisé.
B. décrit un phénomène naturel.
C. est un manifeste pour sauver les baleines.
D. parle du scénario d'un dessin animé.

Question 29

Le plus grand danger pour les baleines blanches est

A. le froid.
B. les ours.
C. le manque d'air.
D. l'homme.

Question 30

Pour sauver les baleines,

A. les chercheurs les ont guidées vers la mer.
B. les Inuits ont troué la banquise.
C. les scientifiques ont organisé une expédition d'urgence.
D. les Inuits ont chassé les ours polaires.

Question 31

Après la lecture du texte, on apprend

A. que des expéditions partiront bientôt pour secourir les baleines.
B. que la glace repousse les baleines vers le sud.
C. que c'est un phénomène rarissime et inquiétant.
D. qu'un tel spectacle a enfin pu être observé.

LES QUESTIONS 32 À 35 CONCERNENT LE DOCUMENT SUIVANT.

coup de cœur

CINÉMA

Princes et Princesses

réalisé par Michel Ocelot

Deux adolescents et un vieux technicien se retrouvent dans un cinéma abandonné. Là, leur imagination alliée à un peu de technique leur fait créer des histoires dont ils sont les héros. Et comme dans tout conte qui se respecte, il est question de princes ou de garçons valeureux, de princesses prisonnières, de sorcières, de félons... La balade nous mène en Égypte où un jeune paysan pauvre séduit la reine par sa générosité, au Japon où une vieille dame déjoue les plans d'un méchant voleur au cours d'une très poétique nuit ; nous nous trouvons au Moyen Âge dans le merveilleux château d'une sorcière pas comme les autres, dans le futur aussi avec une reine égoïste...
Une paire de ciseaux, du papier à dessin noir, de l'ombre et de la lumière : voilà, techniquement, ce qu'il a fallu pour fabriquer les six petits bijoux qui composent ce film d'animation. Plus un talent fou pour nous faire « voir » des visages qui restent dans le noir, dans l'utilisation de couleurs, dans le détail suggérant tout un univers, un décor, un pays. Un grand merci au réalisateur (comment le cinéma a-t-il pu se passer de lui ?) : ces films, réalisés avant notre *Kirikou* chéri, ont de la grâce, de l'humour et de sacrés effets spéciaux.
Quand l'artisanat devient de l'art...

QUESTION 32

« Princes et Princesses » raconte des histoires inventées par
A. trois personnes pleines d'imagination.
B. des techniciens spécialistes du film d'animation.
C. les employés rêveurs d'histoires merveilleuses.
D. les spectateurs nostalgiques d'un cinéma abandonné.

QUESTION 33

Dans le film,
A. des princes et des princesses racontent leur histoire.
B. des histoires vraies sont mises en scène.
C. deux adolescents et un technicien préparent un spectacle historique.
D. des histoires sont contées en ombres chinoises.

QUESTION 34

Pour réaliser ce film, il a fallu
A. des outils utilisés généralement par les bijoutiers.
B. un minimum de matériel et un maximum de talent.
C. un travail rigoureux de la part des acteurs.
D. l'engagement de dépenses colossales pour les effets spéciaux.

QUESTION 35

La critique est positive
A. sur tous les aspects cités.
B. seulement si les spectateurs sont des enfants.
C. mais regrette la banalité du sujet.
D. sauf en ce qui concerne les jeux de lumière.

SECTION C

QUESTIONS 36 À 40

Dans le texte ci-contre, cinq phrases ont été supprimées.
⇨ Retrouvez chacune d'elles parmi les quatre phrases qui vous sont proposées et cochez votre réponse sur la fiche.

BAUDELAIRE (1821-1867)

Baudelaire est né à Paris. **...(36)...** . Mais son père, âgé de 62 ans, était né bien avant la Révolution. Il avait été prêtre mais avait renoncé à cette fonction au moment de la Révolution. Il était très amateur de peinture et Baudelaire lui doit ce qu'il appelle le « culte des images (ma grande, mon unique, ma primitive passion) ». **...(37)...** . La mère de Baudelaire se remarie avec un officier, le commandant Aupick, qui sera nommé général en 1839.

...(38)... . C'est un bon élève, très brillant en vers latins. Il annonce à sa famille qu'il veut être écrivain. **...(39)...** . mais il mène une vie si désordonnée que le général Aupick lui conseille fermement de faire un voyage. Baudelaire part pour Calcutta, mais il ne va pas au terme de la route ; il s'arrête à l'île de la Réunion. **...(40)...** .

QUESTION 36

A. Il est le seul garçon, après trois filles.
B. Sa mère, fragile, meurt à sa naissance.
C. Dans la famille, sa naissance est très attendue.
D. À sa naissance, sa mère a 28 ans.

QUESTION 37

A. Ce père meurt en 1827.
B. La peinture ne l'intéresse donc pas autant que la poésie.
C. Le fils découvre ainsi la peinture en 1827.
D. Père et fils se souviennent de la révolution.

QUESTION 38

A. Baudelaire assiste au décès de son père.
B. La même année, Baudelaire est reçu à son baccalauréat.
C. Alors, Baudelaire s'engage dans l'armée.
D. Plus tard, Baudelaire s'enfuit et abandonne ses études.

QUESTION 39

A. On ne s'oppose pas à cette idée.
B. Il renonce donc un moment à l'écriture.
C. Sa vie est alors bien réglée.
D. On ne fête pas ses 25 ans.

QUESTION 40

A. Il découvre alors la vie en Inde.
B. Il écrit donc ses plus beaux poèmes.
C. Et là, il prend le premier bateau qui revient en France.
D. Là, il retrouve enfin son père.

QUESTIONS 41 À 45

Dans les textes suivants, les phrases ne sont pas dans l'ordre.
⇨ Reconstituez ces textes en mettant les phrases dans l'ordre et cochez votre réponse sur la fiche.

Question 41

Monsieur,
1. J'aurais voulu connaître le montant des charges et des taxes foncières pour vous faire une proposition financière.
2. Je suis très intéressé par l'annonce au sujet de l'appartement rue des Vignes.
3. Dans l'attente d'une réponse, je vous prie d'agréer, Monsieur, mes salutations distinguées.
4. Vous pouvez me contacter le soir au numéro suivant 01 06 08 04 09 ou par fax au même numéro.

A. 1 – 2 – 4 – 3 B. 2 – 1 – 4 – 3 C. 4 – 1 – 3 – 2 D. 1 – 4 – 2 – 3

Question 42

Pas de « Rock à Paris »
1. Prévue les 26 et 27 juin, la manifestation devait réunir entre autres les groupes Bjork, Massive Attack et Metallica.
2. Ils n'ont pas obtenu les autorisations nécessaires de la Ville de Paris.
3. Malheureusement, il faudra attendre l'année prochaine pour peut-être les entendre.
4. Les organisateurs du festival « Rock à Paris » ont annoncé son annulation.

A. 2 – 4 – 3 – 1 B. 1 – 3 – 4 – 2 C. 1 – 4 – 2 – 3 D. 4 – 2 – 1 – 3

Question 43

Marine
1. La matinée s'est bien passé en ton absence. Les enfants ont été sages. Rien d'autre à signaler.
2. Il est 14 heures et je dois filer. Désolé de ne pas t'attendre mais j'ai une réunion importante.
3. Ah si ! Tôt ce matin ton père a téléphoné. Il faut que tu le rappelles immédiatement, c'est urgent.
4. N'oublie pas que ce soir je rentrerai plus tard que d'habitude. Bisous. Fred

A. 2 – 4 – 3 – 1 B. 1 – 4 – 2 – 3 C. 2 – 1 – 3 – 4 D. 2 – 3 – 1 – 4

Question 44

L'euro-bonus
1. Des aides et des prêts sont accordés aux initiatives intéressantes.
2. Tous les renseignements sont disponibles auprès des carrefours ruraux européens.
3. C'est pourtant possible et déjà arrivé dans un village des Alpes de Haute-Provence.
4. Sauver votre bistrot grâce à l'Europe, y avez-vous songé ?

A. 1 – 4 – 3 – 2 B. 3 – 4 – 2 – 1 C. 4 – 3 – 1 – 2 D. 2 – 1 – 4 – 3

Question 45

Comment nourrir les dauphins
1. Il ralentira les courants et attirera les petits poissons.
2. À Hong-Kong un récif artificiel va être construit.
3. Ainsi un grand nombre de ces mammifères marins pourra être sauvé.
4. Ces derniers serviront de nourriture aux dauphins.

A. 1 – 3 – 2 – 4 B. 4 – 3 – 1 – 2 C. 2 – 1 – 4 – 3 D. 2 – 1 – 3 – 4

Section D

Questions 46 à 50

Dans cette section, cinq phrases sont proposées et, pour chacune d'elles, quatre reformulations.

➪ Pour chaque question, choisissez la reformulation qui a le sens le plus proche de la phrase originale. Cochez votre réponse sur la fiche.

Question 46

On dit que le président se rendra prochainement en Inde.

A. Il est clair que le président se rendra prochainement en Inde.
B. Il est hors de question que le président se rende en Inde prochainement.
C. Le président pourrait se rendre prochainement en Inde.
D. Le président devra se rendre prochainement en Inde.

Question 47

Avant d'accepter, il fait toujours des manières.

A. Avant d'accepter, il doit s'habituer à la situation.
B. Avant d'accepter, il hésite.
C. Avant d'accepter, il se fait prier.
D. Avant d'accepter, il fait l'intéressant.

Question 48

Il arrive si bien à se concentrer qu'il peut travailler dans le bruit.

A. Il a une faculté de concentration telle qu'il arrive à travailler dans le bruit.
B. Il a beaucoup de mal à se concentrer dans le bruit.
C. Même en se concentrant, il ne peut pas travailler dans le bruit.
D. Au travail, il arrive à se concentrer, à condition qu'il n'y ait pas trop de bruit.

Question 49

Il aurait aimé visiter Athènes.

A. Il rêvait depuis longtemps de visiter Athènes.
B. Il a aimé sa visite d'Athènes.
C. La visite d'Athènes lui a plu.
D. Il regrette de ne pas avoir visité Athènes.

Question 50

Je ne crois pas qu'il soit aussi idiot qu'il en a l'air.

A. Je crois qu'il est aussi idiot qu'on le dit.
B. Je crois qu'il n'est pas aussi idiot qu'il paraît.
C. Je crois qu'il est vraiment idiot.
D. Je crois qu'il est moins idiot qu'il le prétend.

TEST 2

DEUXIÈME ÉPREUVE OBLIGATOIRE

COMPRÉHENSION ORALE

60 questions 40 minutes

SECTION A

QUESTIONS 51 À 54

Vous allez entendre, deux fois, la présentation de quatre objets à vendre.
Voici les dessins de cinq objets.

C

B

A

D

E

➪ **Écoutez l'enregistrement et indiquez l'objet qui correspond à chacun des messages.**
➪ **Attention, il y a cinq objets dessinés pour seulement quatre messages.**

QUESTION 51

Objet 1

A. Dessin A
B. Dessin B
C. Dessin C
D. Dessin D
E. Dessin E

QUESTION 52

Objet 2

A. Dessin A
B. Dessin B
C. Dessin C
D. Dessin D
E. Dessin E

QUESTION 53

Objet 3

A. Dessin A
B. Dessin B
C. Dessin C
D. Dessin D
E. Dessin E

QUESTION 54

Objet 4

A. Dessin A
B. Dessin B
C. Dessin C
D. Dessin D
E. Dessin E

Questions 55 à 58

Vous allez entendre, <u>deux fois</u>, le programme d'un circuit touristique de quatre jours.
Voici cinq dessins.

➪ **Écoutez l'enregistrement et indiquez le dessin correspondant à chaque jour de visite.**
➪ **Attention, il y a cinq dessins pour seulement quatre activités décrites.**

Question 55

Lundi

A. Dessin A
B. Dessin B
C. Dessin C
D. Dessin D
E. Dessin E

Question 56

Mardi

A. Dessin A
B. Dessin B
C. Dessin C
D. Dessin D
E. Dessin E

Question 57

Mercredi

A. Dessin A
B. Dessin B
C. Dessin C
D. Dessin D
E. Dessin E

Question 58

Jeudi

A. Dessin A
B. Dessin B
C. Dessin C
D. Dessin D
E. Dessin E

SECTION B

QUESTIONS 59 À 70

Vous allez entendre six messages sur répondeur téléphonique.

➪ Indiquez pour chacun de ces six messages s'il a un caractère familial, amical, professionnel ou publicitaire, en cochant A, B, C ou D.

> *Exemple :*
>
> *Vous entendez le message suivant :* « Comment vas-tu Daniel, c'est Catherine de l'École des Beaux-Arts. Je t'appelle pour te dire que c'est d'accord pour le cinéma, vendredi soir. »
>
> ☐ A Familial
> ■ B Amical
> ☐ C Professionnel
> ☐ D Publicitaire
>
> *Vous devez cocher « B ».*

➪ Écoutez les messages et répondez aux questions.

QUESTION 59

Message 1

A. Familial
B. Amical
C. Professionnel
D. Publicitaire

QUESTION 60

Message 2

A. Familial
B. Amical
C. Professionnel
D. Publicitaire

QUESTION 61

Message 3

A. Familial
B. Amical
C. Professionnel
D. Publicitaire

QUESTION 62

Message 4

A. Familial
B. Amical
C. Professionnel
D. Publicitaire

QUESTION 63

Message 5

A. Familial
B. Amical
C. Professionnel
D. Publicitaire

QUESTION 64

Message 6

A. Familial
B. Amical
C. Professionnel
D. Publicitaire

Vous allez entendre une deuxième fois chacun des six messages.

➪ Indiquez pourquoi la personne appelle.

> *Exemple :*
>
> *Vous entendez une deuxième fois le message suivant :* « Comment vas-tu Daniel, c'est Catherine de l'École des Beaux-Arts. Je t'appelle pour te dire que c'est d'accord pour le cinéma, vendredi soir. »
> Elle appelle pour
>
> ☐ A refuser une invitation.
> ☐ B donner une adresse.
> ■ C confirmer un rendez-vous.
> ☐ D féliciter.
>
> *Vous devez cocher « C ».*

➾ **Maintenant, écoutez l'enregistrement et choisissez votre réponse.**

Question 65

Message 1

Il ou elle appelle pour
A. refuser une invitation.
B. inviter à une soirée.
C. donner des nouvelles.
D. confirmer un rendez-vous.

Question 66

Message 2

Il ou elle appelle pour
A. confirmer un rendez-vous.
B. proposer un service.
C. donner des horaires.
D. proposer de laisser un message.

Question 67

Message 3

Il ou elle appelle pour
A. inviter les grands-parents.
B. décaler un rendez-vous.
C. faire des reproches.
D. accepter une invitation.

Question 68

Message 4

Il ou elle appelle pour
A. confirmer la visite d'un technicien.
B. proposer un rendez-vous.
C. offrir un cadeau.
D. présenter un produit en promotion.

Question 69

Message 5

Il ou elle appelle pour
A. avoir des nouvelles.
B. donner des nouvelles.
C. demander de rappeler.
D. prendre un rendez-vous.

Question 70

Message 6

Il ou elle appelle pour
A. faire une commande.
B. déplacer un horaire.
C. confirmer une commande.
D. annuler une livraison.

Questions 71 à 78

Vous allez entendre quatre messages enregistrés dans un lieu public.
Attention, vous n'entendrez chaque message qu'une fois.
➾ **Lisez d'abord les questions correspondant à chaque message.**
➾ **Puis écoutez le message et répondez aux questions.**

Message 1

Question 71

Ce message est diffusé
A. dans un musée.
B. dans un magasin.
C. dans un cinéma.
D. dans un parc de loisirs.

Question 72

Quelle est la raison de la fermeture du lieu ?
A. Des travaux.
B. Une grève.
C. Un accident.
D. Un problème aux caisses.

Message 2

Question 73

Cette annonce est diffusée
A. dans un magasin.
B. dans un hôtel.
C. dans un gare.
D. dans un aéroport.

Question 74

Les personnes sont évacuées à cause
A. d'une panne de courant.
B. d'une inondation.
C. d'un feu.
D. d'un colis suspect.

Message 3

Question 75

Ce message est diffusé
A. dans un cirque.
B. dans un parc zoologique.
C. à la radio.
D. dans la rue.

Question 76

Ce message annonce
A. des représentations gratuites.
B. des spectacles de cirque.
C. une présentation d'animaux à travers la ville.
D. un spectacle de variétés.

Message 4

Question 77

Ce message s'adresse aux voyageurs
A. d'un train.
B. d'un avion.
C. d'un tramway.
D. d'un autocar.

Question 78

Il demande aux passagers
A. de s'arrêter à Montpellier.
B. de faire attention au numéro de leur voiture.
C. de changer de compartiment.
D. de se rendre au wagon restaurant.

Questions 79 à 84

Vous allez entendre six informations courtes extraites d'un journal radiophonique.
Attention, vous n'entendrez qu'une fois chaque information.
⇒ **Indiquez, pour chacune de ces informations, à quelle rubrique de ce journal elle appartient.**

Question 79

Information 1
A. Faits divers
B. Politique
C. Social
D. Santé publique

Question 80

Information 2
A. International
B. Tourisme
C. Sports
D. Économie

Question 81

Information 3
A. Société
B. Faits divers
C. Politique
D. Informations routières

Question 82

Information 4
A. Cultures et religions
B. Société
C. Politique étrangère
D. Faits divers

Question 83

Information 5
A. Justice
B. Faits divers
C. Politique
D. Économie

Question 84

Information 6
A. Météo
B. Économie
C. Cinéma
D. Opinion

Section C

Questions 85 à 90

Vous allez entendre six personnes répondre à la question :
« Au XXIe siècle, 51 % de la population mondiale vivra en ville.
Et vous, êtes-vous plutôt "ville" ou plutôt "campagne" ? »
Attention, vous n'entendrez qu'une fois chaque personne.

➩ **Indiquez si la personne interviewée**

- ☐ A préfère la ville.
- ☐ B préfère la campagne.
- ☐ C aime les deux.
- ☐ D ne se prononce pas.

Question 85

La personne 1
A. préfère la ville.
B. préfère la campagne.
C. aime les deux.
D. ne se prononce pas.

Question 86

La personne 2
A. préfère la ville.
B. préfère la campagne.
C. aime les deux.
D. ne se prononce pas.

Question 87

La personne 3
A. préfère la ville.
B. préfère la campagne.
C. aime les deux.
D. ne se prononce pas.

Question 88

La personne 4
A. préfère la ville.
B. préfère la campagne.
C. aime les deux.
D. ne se prononce pas.

Question 89

La personne 5
A. préfère la ville.
B. préfère la campagne.
C. aime les deux.
D. ne se prononce pas.

Question 90

La personne 6
A. préfère la ville.
B. préfère la campagne.
C. aime les deux.
D. ne se prononce pas.

Questions 91 à 100

Vous allez entendre, deux fois, trois longs messages.
➩ **Pour chaque message, lisez d'abord les questions.**
Vous allez entendre une première fois l'enregistrement.
➩ **Commencez à répondre.**
Vous allez entendre une deuxième fois l'enregistrement.
➩ **Complétez vos réponses.**

Message 1

Question 91

Pour choisir sa destination de voyage, la cliente demande des conseils parce qu'elle
A. n'a rien prévu.
B. préfère voyager en groupe.
C. a très peu voyagé.
D. a besoin de se reposer.

Question 92

Elle n'a pas du tout envie de
A. marcher pendant des heures.
B. assister à des concerts.
C. passer son temps à bronzer.
D. partir seule.

Question 93

Elle accepte d'aller au Maroc
A. parce qu'elle va beaucoup marcher.
B. parce qu'en partant vendredi, elle ne va pas perdre de temps.
C. parce qu'elle adore visiter des monuments.
D. parce qu'elle va complètement changer de cadre.

Message 2

Question 94

Dans cet extrait, le journaliste Jean-Pierre Laffont commente
A. la vie d'une actrice.
B. les obsèques d'une personne connue.
C. le cinéma.
D. l'injustice sociale.

Question 95

La personne dont il est question a fondé
A. un spectacle.
B. une maison de production.
C. une association pour ceux qui n'ont pas de maison.
D. un parti politique.

Question 96

Dans un futur proche, la ville de Granges-les-Valence va
A. organiser un festival.
B. dédier une place à Sophie Star.
C. fonder un musée.
D. fonder *Une Maison pour Tous.*

Message 3

Question 97

Ce message a pour sujet principal
A. la bourse.
B. le commerce électronique.
C. le marché européen.
D. la communication des entreprises.

Question 98

Michel Lecaque parle de la nécessité
A. d'entrer en bourse.
B. d'augmenter son budget.
C. de créer son entreprise.
D. d'avoir un site Internet.

Question 99

Quelle proportion d'Américains a fait ses courses sur Internet pour les fêtes de fin d'année ?
A. 20 %.
B. Un sur trois.
C. Deux tiers.
D. Plus de la moitié.

Question 100

La personne interrogée prévoit
A. un virus informatique.
B. une baisse des dépenses en communication.
C. un crack boursier.
D. une hausse des investissements étrangers en Europe.

Section D

Questions 101 à 110

Vous allez entendre dix phrases enregistrées.
Attention, vous n'entendrez chaque phrase qu'une fois.
La phrase que vous entendez correspond-elle à la phrase que vous lisez sur votre feuille ?

Exemple :
Vous entendez : « Il a bouché la bouteille. »
Vous lisez : « Il a bougé la bouteille. »
☐ A oui
■ B non
Vous devez donc cocher « B ».

Question 101

C'est bien frais.
A. oui
B. non

Question 102

J'ai fait tomber ma pêche.
A. oui
B. non

Question 103

Il faut que vous l'épousiez.
A. oui
B. non

Question 104

Tout ce qu'il prend, il le cache.
A. oui
B. non

Question 105

Je n'aime pas beaucoup les orages.
A. oui
B. non

Question 106

C'est fou ce que tu me racontes !
A. oui
B. non

Question 107

Ces outils ont cinq mille ans.
A. oui
B. non

Question 108

Hier soir, nous sommes allés au bal.
A. oui
B. non

Question 109

La production de lin a chuté cette année.
A. oui
B. non

Question 110

Écoutez bien, il y a du bruit.
A. oui
B. non

TEST 2

TROISIÈME ÉPREUVE OBLIGATOIRE

LEXIQUE / STRUCTURE

40 questions · 30 minutes

SECTION A

QUESTIONS 111 À 120

Cochez sur la fiche la réponse qui vous paraît exacte.

QUESTION 111

Pour préparer son exposé, il a emprunté quelques livres à la ....

A. banque
B. bibliothèque
C. librairie
D. littérature

QUESTION 112

Les gens qui habitent une maison sont souvent plus âgés que ceux qui habitent ....

A. un appartement
B. une demeure
C. un domicile
D. un logement

QUESTION 113

En ...... de la pluie et du froid, je sors.

A. dépit
B. raison
C. cas
D. vue

QUESTION 114

Ce gâteau est vraiment délicieux ; j'aimerais bien en connaître ....

A. la façon
B. la formule
C. la manière
D. la recette

QUESTION 115

Monsieur et Madame Dufour habitent à Paris ; ......, ils résidaient en province.

A. dorénavant
B. auparavant
C. désormais
D. depuis lors

QUESTION 116

Au restaurant.
– Garçon, ... s'il vous plaît !

A. l'addition
B. le compte
C. la facture
D. la note

QUESTION 117

Votre analyse ne ...... pas en compte toutes les données du problème.

A. tient
B. prend
C. met
D. pose

QUESTION 118

L'autoroute est fermée ...... une collision entre deux camions.

A. en prévision d'
B. en conséquence d'
C. préalablement à
D. à la suite d'

QUESTION 119

J'écrirai une lettre de félicitations à Anne pour ...... de son fils.

A. l'anniversaire
B. le mariage
C. le départ
D. l'échec

QUESTION 120

Elles auront ...... insister, ils ne viendront pas.

A. beau
B. belles
C. bien
D. bon

SECTION B

QUESTIONS 121 À 125

➪ Dans le texte suivant, choisissez le mot ou groupe de mots qui a le sens le plus proche du mot ou groupe de mots souligné.

LES JEUX DE HASARD

Dans l'Antiquité, les jeux d'argent et de hasard étaient déjà très prisés **(121)**. Les courses de chars, très répandues dans la Rome impériale, suscitaient **(122)** des gains et des pertes considérables, dans un énorme brassage **(123)** d'argent.
Les jeux restent une formidable manne que les États d'aujourd'hui voudraient garder sous leur contrôle. L'organisation du domaine des jeux devient ainsi leur affaire. Mais, pour se donner bonne conscience **(124)** et satisfaire ainsi la morale, les États donnent, au départ, aux jeux d'argent une vocation **(125)** charitable : les bénéfices servent à aider les déshérités ou les hôpitaux.

QUESTION 121

A. appréciés
B. critiqués
C. organisés
D. rentables

QUESTION 122

A. entraînaient
B. géraient
C. imposaient
D. rapportaient

QUESTION 123

A. accroissement
B. dépôt
C. mouvement
D. trésor

QUESTION 124

A. avoir bon cœur
B. inspirer confiance
C. n'avoir rien à se reprocher
D. respecter les règles

QUESTION 125

A. une apparence
B. un but
C. une obligation
D. un angle

SECTION C

QUESTIONS 126 À 145

➪ Cochez sur la fiche la réponse qui vous paraît exacte.

QUESTION 126

Il m'a proposé un rendez-vous ...... une semaine, mardi prochain.
A. dans
B. durant
C. en
D. pour

QUESTION 127

Je ...... ai téléphoné plusieurs fois, mais elle ne m'a pas répondu.
A. l'
B. les
C. leur
D. lui

QUESTION 128

Par beau temps, on ...... , au loin, les falaises de l'île.
A. apercevoir
B. apercevons
C. aperçoit
D. aperçoive

Question 129

Si vous ...... la carte, vous n'auriez pas perdu autant de temps !
A. auriez consulté
B. aviez consulté
C. avez consulté
D. ayez consulté

Question 130

Ils ont fait un voyage d'études ...... Argentine.
A. à l'
B. d'
C. au
D. en

Question 131

C'est cette période que je connais ....
A. le mieux
B. mieux
C. le meilleur
D. meilleure

Question 132

C'est à Madame Wagner ...... vous devez adresser votre réclamation.
A. laquelle
B. où
C. que
D. qui

Question 133

Il est entièrement responsable ...... cette situation.
A. pour
B. sur
C. de
D. avec

Question 134

Veux-tu un apéritif ? Non, merci, je ...... prends jamais.
A. ne
B. n'en
C. ne le
D. n'

Question 135

Le jour où ...... ma montre, ... à Madrid.
A. je perdais ... j'ai été
B. j'ai perdu ... je serais
C. j'ai perdu ... j'étais
D. je perdais ... j'étais

Question 136

Il n'a parlé à ...... durant tout le week-end.
A. aucun
B. nul
C. personne
D. quelque

Question 137

Il espère ...... son livre avant de partir en voyage.
A. d'avoir terminé complètement
B. à terminer complètement
C. avoir complètement terminé
D. complètement de terminer

Question 138

La directrice m'a envoyé ...... des documents.
A. cherché
B. chercher
C. cherchés
D. cherchée

Question 139

Je voudrais une bouteille ...... vin, s'il vous plaît.
A. le
B. en
C. de
D. du

Question 140

Les gens ...... nous nous sommes adressés ne connaissaient pas du tout la région.
A. avec qui
B. auxquelles
C. vers lesquels
D. à qui

Question 141

Il aimerait comprendre ...... s'est passé.
A. qu'est-ce que
B. qu'est-ce qui
C. ce que
D. ce qui

Question 142

Les contes sont ...... belles histoires qui se passent dans ...... endroits magnifiques.
A. des ... des
B. des. ... d'
C. de ... d'
D. de ... des

Question 143

J'aurais souhaité ...... pour cette infraction.
A. ne pas avoir d'amende
B. que je n'aie pas d'amende
C. ne pas avoir une amende
D. que j'ai nulle amende

Question 144

S'il fait beau, ... à pied au bureau.
A. j'aille
B. j'allais
C. j'irai
D. j'irais

Question 145

...... est son adresse ?
A. Comment
B. Qui
C. Quelle
D. Qu'

Section D

Questions 146 à 150

Dans certaines phrases du texte suivant, des parties (A, B, C, D) ont été soulignées.
L'une de ces parties est incorrecte.

Cochez sur la fiche la réponse correspondant à la partie incorrecte.

LA CHAUSSURE

Exemple :

Se protéger les pieds (A) est un souci qui ne date pas (B) d'hier. Mais de l'objet chaussant (C) à la chaussure, le pas franchi ce compte (D) en millénaires.

Dans cette première phrase, il faut cocher « D » car la formulation correcte est « se compte ».

Question 146

Les peuples de l'Antiquité portaient surtout (A) des sandales a semelles (B) de cuir ou de bois, tenues par des lanières croisées (C). Toutes sortes de modèles furent imaginés (D) par les Grecs, puis les Romains.

Question 147

L'époque médiévale voit les sandales remplacées par (A) des chaussures fermées par des lacets (B). Au Xe siècle, la chaussure au sens (C) moderne du terme apparaît, façonnée par (D) cuir.

Question 148

Au XVIe siècle, avec la mode italienne (A), les chaussures s'affinant (B) et prennent des formes élégantes. Mais la chaussure est restée (C), jusqu'au XIXe siècle, réservée aux riches (D).

Question 149

La Première Guerre mondiale a joué un rôle (A) déterminant dans le développement industriel (B) de la chaussure. Dès 1919, la mode à prix abordable s'affiche (C) dans les magasins des fabriquants (D).

Question 150

Aujourd'hui, la mode ressemble avec (A) une superposition de tendances (B) et la chaussure présente une grande variété (C), tant du point de vue des formes que des matières utilisées (D).

TEST 2

PREMIÈRE ÉPREUVE FACULTATIVE

EXPRESSION ÉCRITE

 1 heure

SECTION A

Voici le début d'un article de presse.

⇨ À vous de terminer cet article :
– en ajoutant à la suite un texte de 80 à 100 mots ;
– en faisant plusieurs paragraphes.

LION EN FUITE À MONTFAUCON

Hier, à la tombée de la nuit, un gardien de zoo a remarqué que le lion n'était plus dans sa cage. (...)

....
....
....
....
....
....
....
....
....
....
....
....
....
....
....

SECTION B

Vous avez lu l'affirmation suivante dans un article de journal :
« Il est mauvais pour les enfants de lire des bandes dessinées (BD). »

⇨ Écrivez une lettre au journal pour dire ce que vous en pensez. (200 mots environ)
Développez au moins <u>3 arguments</u> pour défendre votre point de vue.

TEST 2

DEUXIÈME ÉPREUVE FACULTATIVE

EXPRESSION ORALE

35 minutes

SECTION A

Préparation : 10 minutes
Durée : 5 minutes

Vous cherchez un emploi. Vous avez vu l'annonce ci-contre dans un journal local. Vous téléphonez au responsable pour obtenir des informations supplémentaires.

Préparez une dizaine de questions.
L'examinateur joue le rôle du responsable.

> Réf. 5832. École privée recherche des professeurs de langue. Urgent. Contacter le 08.325.325.

SECTION B

Préparation : 10 minutes
Durée : 10 minutes

Vous êtes végétarien. Un(e) de vos ami(e) ne l'est pas.
Vous lisez cette information dans un magazine.

1. Présentez-lui le contenu de ce document.
2. Essayez de le (la) convaincre de ne plus manger de viande.
L' examinateur joue le rôle de votre ami(e).

POURQUOI ÊTRE VÉGÉTARIEN ?

- **Pour votre santé :**
La viande des animaux élevés industriellement contient des aliments toxiques qui empoisonnent progressivement l'organisme et augmentent le risque de maladies comme le cancer.

- **Pour l'environnement :**
L'élevage intensif des animaux est responsable de la moitié de la pollution de l'eau.
L'augmentation de la superficie des sols utilisés pour cet élevage détériore les espaces naturels comme les forêts tropicales.

- **Pour les animaux :**
Le commerce de la viande est responsable d'innombrables et cruelles expériences sur les animaux dans les laboratoires.

- **Pour votre porte-monnaie :**
La viande est un des aliments les plus chers !

ALORS... QU'ATTENDEZ-VOUS POUR DEVENIR VÉGÉTARIEN ?

L'AUTO-ÉVALUATION

 CALCULER SON SCORE AUX ÉPREUVES OBLIGATOIRES

Après avoir passé les trois épreuves obligatoires d'un test, vous pouvez calculer votre score et commencer à évaluer vos compétences. Suivez la démarche proposée pour obtenir votre score. Les épreuves obligatoires sont notées globalement sur 900 points.

1. Comptez votre nombre de bonnes et de mauvaises réponses.

	Bonnes réponses	Pas de réponse ou annulation de réponse	Mauvaises réponses ou réponses multiples
C. écrite			
C. orale			
L. / S.			

<u>*Exemple :*</u>

	Bonnes réponses	*Pas de réponse*	*Mauvaises réponses*
C. écrite	28	10	12
C. orale	39	7	14
L. / S.	21	10	9

2. Utilisez le barème suivant pour calculer votre score :

- Bonne réponse : 3 points
- Pas de réponse ou annulation de réponse : 0 point
- Mauvaise réponse ou réponses multiples (plusieurs cases cochées) : – 1 point

Puis, complétez le tableau suivant :

	Bonnes réponses [× 3]	Mauvaises réponses [× (– 1)]	Total
C. écrite			
C. orale			
L./S.			

<u>*Exemple :*</u>

	Bonnes réponses	*Mauvaises réponses*	***Total***
C. écrite	84	– 12	**72**
C. orale	117	– 14	**103**
L./S.	63	– 9	**54**

3. Faites l'addition de vos trois scores. Multipliez le score total par deux et vous obtenez votre score final.

SCORE TOTAL	
(× 2) = SCORE FINAL	

<u>*Exemple :*</u>

SCORE TOTAL	**229**
(× 2) = SCORE FINAL	**458**

4. Reportez-vous à la grille p. 92 pour vous situer sur l'échelle de niveaux.
<u>*Exemple :*</u> *Avec 458 points, mon niveau de français correspond au* ***niveau 3 TEF.***

B S'évaluer pour les épreuves facultatives

Pour chaque épreuve facultative, vous pouvez vous évaluer, avec l'aide de la personne qui aura joué le rôle de l'examinateur. Reprenez votre production et lisez les questions suivantes. Pour chaque question, donnez-vous une note de 0+ à 6, 6 étant la note supérieure. Faites la moyenne de vos notes puis reportez-vous à la grille p. 92 pour vous situer sur l'échelle de niveau.

✔ Expression écrite

	0+	1	2	3	4	5	6
Section A							
Est-ce que votre texte est adapté au sujet ?							
Est-ce que votre texte est compréhensible ?							
Est-ce que la progression de votre texte est logique ?							
Section B							
Est-ce que votre texte est adapté au sujet ?							
Est-ce que votre texte est compréhensible ?							
Est-ce que vos arguments sont efficaces ?							
Toutes sections							
Est-ce que les phrases sont bien construites ?							
Est-ce que les formes verbales sont correctes ?							
Est-ce que les connecteurs logiques et temporels sont présents ?							
Est-ce que le vocabulaire utilisé est varié ?							
Est-ce que les mots utilisés sont précis ?							
Est-ce que l'orthographe et la ponctuation sont respectées ?							

Expression orale

	0+	1	2	3	4	5	6
Section A							
Est-ce que votre questionnement est complet ?							
Est-ce que vos réponses sont appropriées ?							
Section B							
Est-ce que les faits présentés sont exacts ?							
Est-ce que les échanges sont cohérents ?							
Est-ce que votre argumentation est claire ?							
Toutes sections							
Est-ce que le discours est clair et construit ?							
Est-ce que les phrases sont bien construites ?							
Est-ce que les formes verbales employées sont correctes ?							
Est-ce que les connecteurs logiques et temporels sont présents ?							
Est-ce que le vocabulaire utilisé est varié ?							
Est-ce que les mots utilisés sont précis ?							
Est-ce que la prononciation et l'intonation sont correctes ?							
Est-ce que le débit de paroles est fluide ?							

C Se situer sur la grille de niveaux

La grille de niveaux du TEF est établie en correspondance avec les six niveaux communs de référence définis par le conseil de l'Europe.

Niveaux	Niveaux TEF	Description des niveaux	Utilisateurs	Niveaux communs de référence du Conseil de l'Europe
SUPÉRIEUR	6 834 → 900	**• Maîtrise complète de la langue.** Vous comprenez tout ce que vous lisez ou écoutez dans des domaines variés. Vous saisissez les nuances de la langue et interprétez avec finesse des documents complexes. Vous vous exprimez spontanément avec souplesse et efficacité et argumentez sur des sujets complexes.	EXPÉRIMENTÉ	C2
	5 699 → 833	**• Bonne maîtrise de la langue.** Vous comprenez dans le détail des textes et des productions orales sur des sujets relatifs à la vie sociale et professionnelle. Vous vous exprimez couramment de manière claire et précise sur des sujets variés.		C1
INTERMÉDIAIRE	4 541 → 698	**• Maîtrise générale de la langue.** Vous comprenez les idées concrètes ou abstraites dans les textes ou les productions orales traitant d'un sujet familier. Vous vous exprimez clairement sur des sujets en relation avec votre domaine d'intérêt.	INDÉPENDANT	B2
	3 361 → 540	**• Maîtrise limitée de la langue.** Vous comprenez les informations principales des textes et des productions orales se rapportant à des situations connues ou prévisibles. Vous vous exprimez de manière compréhensible sur des sujets de la vie quotidienne.		B1
ÉLÉMENTAIRE	2 204 → 360	**• Maîtrise des structures de base de la langue.** Vous comprenez les informations pratiques de la vie courante dans les messages simples. Vous pouvez vous faire comprendre dans des situations familières et prévisibles.	ÉLÉMENTAIRE	A2
	1 69 → 203	**• Connaissance basique de la langue.** Vous comprenez de courts énoncés s'ils sont connus et répétés. Vous savez exprimer des besoins élémentaires.		A1
	0+ 0 → 68	Vous identifiez et reproduisez des mots isolés ou expressions apprises.		

ANNEXES

I L'ENTRAÎNEMENT

A Compréhension écrite guidée

Exercice 1

Doc. 1 : un panneau de signalisation de chantier.
Doc. 2 : un écriteau d'interdiction dans un lieu public.

TEF	
1	C
2	A

Exercice 2

1. *a)* On remarque le format du document (un encadré de journal) et les différences de caractères :
– le titre en gras souligné : **NOCES DE DIAMANT** ;
– le nom au centre : Jacques et Hélène ESPEILLAC.
b) On va parler d'un anniversaire de mariage.
2. Ce document est adressé aux lecteurs du journal.
3. Le message est au passé (passé composé, *ont célébré*).

TEF	
3	A
4	D

Exercice 3

1. Ces différents types de caractères sont utilisés pour distinguer les parties du texte : le titre en gras, le message en typographie normale et la signature soulignée.
2. Tableau :

	doc. 1	doc. 2
Nom	Alain D.	Roger M.
Situation actuelle	retraité	retraité
Passe-temps	constituer une Histoire de France de la monnaie	collectionner les cartes postales

3. *a)* Dans un journal ou un magazine.
b) Aux lecteurs.
c) Alain D. s'adresse aux lecteurs parce qu'il recherche des documents ou des articles afin de compléter son Histoire de la monnaie. Roger M. demande aux lecteurs de lui envoyer des cartes postales usagées.

TEF	
5	D
6	C

EXERCICE 4

1. *1* : le titre – *2* : la légende (les 3 pays concernés) – *3* : les recettes en millions de dollars – *4* : les années.
2. C'est l'argent que les pays ont gagné en exportant du vin.
3. Tableau :

	1990	2000
Meilleures recettes	France	Espagne
Recettes moyennes	Espagne	Italie
Plus mauvaises recettes	Italie	France

TEF	
7	C
8	B
9	C

EXERCICE 5

1. La numérotation des paragraphes fait penser à un règlement ou à un programme.
2. Mots-clés : *candidats, stage, sélection.*
3. *a)* Des étudiants européens en troisième cycle.
b) Un stage intensif de cours de langue aura lieu.
c) Les participants bénéficient d'une couverture sociale.
d) Non, les participants ne touchent aucune rémunération.

TEF	
10	D
11	C
12	C
13	B

EXERCICE 6

1. Il s'agit d'une lettre : en-tête, adresse de destinataire, formule de politesse, signature.
2. *a)* Julie Drumel, de l'Institut National d'Assurance Maladie-Invalidité.
b) Avenue de Tervuren, à Bruxelles.
c) Madame Van Buyten.
d) Rue de Louvain, à Evere.

3.	Oui	Non
Ce document est joint à un autre document.	☒	☐
On annonce un changement complet.	☐	☒
On souhaite expliquer les choses clairement.	☒	☐
Des aides supplémentaires seront accordées.	☐	☒
Il est impossible d'avoir d'autres informations.	☐	☒

TEF	
14	D
15	C
16	B

EXERCICE 7

1. *a)* Présentation du document :
– la présentation du texte en colonnes ;
– le titre *(Le golf dans les cités)*, le sous-titre *(Banlieue : …)* et les titres de paragraphes *(Un outil éducatif / Engouement)* ;
– les différences de typographie dans le texte (citations en italique).
b) Type de texte : article de journal. Il s'agit plus précisément d'un compte rendu d'interviews.
2. Rubrique : Société.
3.

Qui ?	2 400 jeunes
Quoi ?	cours de golf
Où ?	Seine-Saint-Denis

4. Informations supplémentaires données :
– quand : tout l'été ;
– dans quel cadre : l'association « Ville-Vie-Vacances ».
5. Mots-liens : *en effet, en fait, d'ailleurs, de plus, mais, c'est pourquoi, ainsi.*
6. Tableau :

Arguments des animateurs	Arguments des jeunes
– un très bon outil éducatif *(apprend aux jeunes à se responsabiliser)* – un moyen d'intégration *(les barrières sociales tombent)*	– la détente, le repos *(Aziz)* – la sérénité *(Luc)* – le contrôle de soi *(Khaled)*

7. *a)* Vrai.
b) Faux.
c) Vrai.
d) Vrai.

TEF	
17	A
18	C
19	C
20	D

EXERCICE 8

	Ceux qui partent en vacances	Ceux qui restent à la maison
Expression utilisée	vacanciers	sédentaires
Nombre (millions)	1988 : 20 1998 : 34	1998 : 26
Période choisie	été : 4/5	
Caractéristiques/ Motivations	– séjours courts – le plus souvent en été (4/5) – pour quitter une grande ville avec leur voiture	– profiter du jardin – recevoir des amis

TEF	
21	D
22	B
23	B
24	B
25	C

EXERCICE 9

• ***Question** 26*

1. Il s'agit d'un faire-part.
2. Verbes utilisés : *avoir* conjugué à la troisième personne du pluriel ; *annoncer* à l'infinitif. Sujet : Jérôme et Stéphanie

• ***Question** 27*

3. *épluchez – coupez – mixez – ajoutez – faites cuire – laissez refroidir – servez.*

• ***Question** 28*

4. C'est le début d'une lettre.
5. Formule de politesse : ... *je vous adresse, Monsieur, mes salutations distinguées.*
6. Objet de la lettre : réclamer le règlement d'une facture de 856 euros.
7. Expressions utilisées : *ce dû, le règlement.*

TEF	
26	C
27	B
28	D

EXERCICE 10

TEF	
29	C
30	D
31	A
32	A
33	A
34	C

TEF	
35	B
36	C
37	C
38	C
39	B
40	D

B Compréhension orale guidée

Exercice 1

1.

	Dessin 1	Dessin 2	Dessin 3	Dessin 4	Dessin 5
Taille	grand et fort	grand	mince	grand	gros
Cheveux	courts	chauve	longs		très courts
Vêtements	survêtement	imperméable	costume	chapeau, veste	chemisette, jean
Accessoires	coupes		livres	parapluie	verre

2.

	Homme 1	Homme 2	Homme 3	Homme 4
Physique	grand, une barbe		petit et costaud, cheveux très courts	cheveux coiffés en arrière
Vêtements	chapeau	survêtement		costume impeccable
Accessoires	parapluie			

TEF	
1	D
2	A
3	E
4	C

Exercice 2

1.

	Dessin 1	Dessin 2	Dessin 3	Dessin 4	Dessin 5
La voiture est…	sportive	tout-terrain	petite	familiale	utilitaire

2.

Protée A	Protée B	Protée C	Protée D
passe-partout citadine petite	sportive légère agressive	familiale spacieuse confortable économique	routes accidentées nature

TEF	
5	C
6	A
7	D
8	B

EXERCICE 3

1.

	Quel est le nom de la personne qui parle ?	Est-ce que la personne utilise le *tu* ou le *vous* ?	Est-ce qu'on donne le nom d'une entreprise ?
Message 1	Maman	tu	non
Message 2	M. Petit	vous	Renault
Message 3	Aline Cartier	vous	société Impex

2.

Message 1	Message 2	Message 3
inviter à dîner ce week-end à samedi	salon de l'Automobile visiter son stand champagne tombola	CV rencontrer candidature rappeler

TEF	
9	A
10	D
11	C
12	B
13	B
14	D

EXERCICE 4

• ***Message 1***

a) Dans un magasin.
b) Une hôtesse / une responsable.
c) Sa maman.
d) À la caisse n° 6.

TEF	
15	B
16	A

• ***Message** 2*

a) Aux coureurs / aux participants.
b) Un dossard.
c) 45 minutes.

TEF	
17	A
18	B

• *Message* 3

a) Leur dernier ouvrage sur la cuisine africaine.
b) Aux visiteurs du salon.
c) Dans la salle n° 4.
d) D'être prévoyant / de prendre ses précautions.

TEF	
19	C
20	A
21	D

Exercice 5

1. *championnats, athlétisme.*
2. Le vol d'un tableau au Louvre.
3. Une grève.
4. Du climat.

TEF	
22	D
23	C
24	A
25	A

Exercice 6

• *Sondage 1*

	Aime le cinéma américain	N'aime pas le cinéma américain	Ne se prononce pas
Personne 1		✗	
Personne 2	✗		
Personne 3			✗
Personne 4			✗
Personne 5		✗	
Personne 6			✗

TEF	
26	C
27	A
28	D
29	B
30	C
31	D

• *Sondage 2*

	Parle français au travail	Ne parle pas français au travail
Personne 1	✗	
Personne 2	✗	
Personne 3		✗
Personne 4	✗	
Personne 5		✗
Personne 6	✗	

TEF	
32	A
33	B
34	D
35	C
36	D
37	A

Exercice 7

a) Une personne qui part en Tanzanie.
b) Elle désire avoir des informations sur les vaccinations.
c) Tableau :

Nom du vaccin obligatoire	la fièvre jaune
Date de vaccination	un mois avant le départ
Nom du document de vaccination	le certificat international

TEF	
38	C
39	D
40	A

Exercice 8

a) Il s'agit d'une interview.
b) Il est vigneron.
c) Il parle d'un tunnel.
d) Le tunnel servira à stocker des bouteilles de vin.
e) Les qualités du tunnel sont : 1. sa température ambiante ; 2. sa taille ; 3. son prix.

TEF	
41	B
42	D
43	B

EXERCICE 9

a) Créer un pays, un paradis fiscal.

b) Tableau :

Quel est le nom de ce projet ?	**Où est-ce qu'il va se réaliser ?**	**Comment est financé ce projet ?**	**Combien de personnes sont déjà intéressées par ce projet ?**
la *Nouvelle Utopie*	dans la mer des Caraïbes / au large de l'Amérique centrale	par toutes les personnes qui achètent des actions	470

c) Le Prince Lazarus. Son vrai nom est Robert Turney.

TEF	
44	B
45	A
46	B
47	A

EXERCICE 10

TEF	
48	B
49	B
50	B
51	A
52	A
53	B
54	B
55	B
56	B
57	B

II Test 1

A Épreuves obligatoires

Compréhension écrite

Section A	1	C
	2	A
	3	B
	4	A
	5	C
	6	B
	7	B
	8	C
	9	D
	10	B
Section B	11	D
	12	A
	13	D
	14	C
	15	A
	16	B
	17	C
	18	D
	19	C
	20	A
	21	A
	22	A
	23	D
	24	C
	25	A
	26	B
	27	D
	28	A
	29	C
	30	D
	31	D
	32	D
	33	B
	34	C
	35	D
Section C	36	B
	37	D
	38	B
	39	D
	40	C
	41	B
	42	C
	43	C
	44	B
	45	C
Section D	46	B
	47	B
	48	D
	49	D
	50	A

Compréhension orale

Section A	51	C
	52	A
	53	D
	54	B
	55	D
	56	B
	57	E
	58	C
Section B	59	D
	60	A
	61	C
	62	B
	63	C
	64	D
	65	B
	66	B
	67	C
	68	C
	69	D
	70	C
	71	B
	72	C
	73	A
	74	D
	75	C
	76	D
	77	A
	78	B
	79	C
	80	B
	81	B
	82	D
	83	B
	84	A
Section C	85	C
	86	D
	87	A
	88	B
	89	C
	90	A
	91	B
	92	D
	93	B
	94	B
	95	A
	96	C
	97	A
	98	B
	99	D
	100	C
Section D	101	A
	102	B
	103	A
	104	B
	105	B
	106	B
	107	B
	108	A
	109	B
	110	B

Lexique/structure

Section A	111	B
	112	D
	113	D
	114	C
	115	A
	116	D
	117	B
	118	C
	119	C
	120	B
Section B	121	C
	122	A
	123	A
	124	B
	125	C
Section C	126	D
	127	D
	128	C
	129	A
	130	B
	131	B
	132	D
	133	C
	134	A
	135	D
	136	B
	137	A
	138	C
	139	D
	140	C
	141	A
	142	A
	143	B
	144	C
	145	B
Section D	146	C
	147	C
	148	B
	149	C
	150	A

B Épreuves facultatives

Expression écrite

Section A

Bébé en voyage : Un bébé âgé d'environ 18 mois a été retrouvé seul, dimanche soir, dans une gare. (…)

	Trois exemples de corrigés
Précisez les éléments de la phrase d'introduction.	Paul, un petit garçon d'un an et demi environ, a été découvert avant hier après-midi, à la Gare Saint-Charles de Marseille.
Déterminez un contexte ; décrivez la situation.	1. L'enfant était resté dans la voiture en stationnement… 2. Paul partait en vacances avec sa mamie… 3. Accompagné de sa maman, Paul allait chercher son papa…
Décrivez l'événement qui s'est passé.	1. Il a ouvert la portière et a suivi le premier venu… 2. Il a profité d'un moment d'inattention pour s'échapper… 3. Sa maman l'a laissé tout seul avec les bagages…
Préparez le dénouement.	1. Un bagagiste l'a aperçu marchant seul sur le quai désert… 2. Un couple l'a trouvé qui jouait, assis par terre, avec leur petite fille du même âge… 3. Un policier s'est inquiété de voir un enfant tout seul au milieu de la foule…
Concluez votre article.	1. L'enfant a retrouvé ses parents, sain et sauf… 2. Paul est enfin parti avec un peu de retard en vacances… 3. Paul a retrouvé sa maman au poste de police de la gare…

Remarques

- Le début de l'article est au passé : employez donc des formes verbales à l'imparfait ou au passé composé.
- Il est nécessaire d'articuler le texte par des mots qui permettent d'avancer dans l'histoire : les mots-liens logiques *(mais, parce que, en effet…)* et temporels *(puis, ensuite, enfin…)*.
- Faites attention à la ponctuation et à la disposition du texte en paragraphes.

SECTION B

« Il est inutile de connaître une autre langue étrangère que l'anglais. »

	Exemples de corrigés
Introduisez votre lettre par une phrase qui présente le sujet.	1. Permettez-moi de réagir à l'idée qu'« il est inutile de connaître une autre langue étrangère que l'anglais ». 2. Je voudrais apporter quelques réflexions suite à votre article dans lequel vous disiez qu'« il était inutile de connaître une autre langue étrangère que l'anglais ». 3. La lecture d'une phrase, « il est inutile de connaître une autre langue étrangère que l'anglais », dans un de vos articles, m'a surpris.
Donnez des arguments « pour » : *en effet, certes, il est vrai que, c'est ainsi que…*	• L'anglais est une langue internationale. • C'est la langue des échanges commerciaux. • Les termes techniques et scientifiques sont souvent anglais. • Elle véhicule une culture riche (cinéma, musique…).
Donnez des arguments « contre » : *cependant, en revanche, or, néanmoins…*	• Connaître d'autres langues, c'est la preuve d'une ouverture d'esprit. • La culture passe par la diversité. • Connaître d'autres langues, c'est un bon outil pour voyager. • De nombreuses professions nécessitent la connaissance d'autres langues.
Concluez votre lettre : *ainsi, par conséquent, pour conclure, finalement…*	Il est important de développer l'enseignement des langues étrangères à l'école, de favoriser les voyages linguistiques...

Remarques

• Dans chaque partie, pensez à guider le lecteur dans votre argumentation *(tout d'abord, premièrement, puis…)*

• Faites attention à la ponctuation et à la disposition du texte en paragraphes.

• N'oubliez pas que vous écrivez une lettre : pensez aux formules de salutation et à la disposition des différents éléments de votre lettre.

Expression orale

Section A « Destination Soleil »

Posez des questions générales. *Où ? Quand ? Qui ? Comment ? Combien ?*	• Quel est le prix pour chaque destination ? • Quel est le moyen de transport utilisé ? • Jusqu'à quand la promotion est-elle valable ? • Est-ce que tout le monde peut bénéficier de cette promotion ? • Y a-t-il d'autres destinations ? etc.
Demandez des informations détaillées.	• Quels cadeaux peut-on gagner ? • L'offre n'est valable que pour les week-end ? • Les dates choisies peuvent-elles être modifiées ? • Quelles sont les activités proposées ? • Quels sont les types d'hôtels ? (Combien d'étoiles ?) etc.
Demandez des précisions suite aux réponses données par l'examinateur…	**… sur le tarif :** • Le prix comprend bien le voyage et la nuit d'hôtel ? • La demi-pension est-elle comprise dans le prix ? • Les enfants bénéficient-ils d'un tarif réduit ? • Peut-on régler en plusieurs versements ? etc. **… sur le moyen de transport :** • Le voyage en avion/ train/ bus dure combien de temps ? • Peut-on changer les billets ? etc.

Section B « Enfance SOS »

1. L'EXPOSÉ DES FAITS	
Utilisez une formule d'adresse adaptée.	L'examinateur jouant le rôle d'un(e) ami(e), vous pouvez utiliser le « tu ».
Présentez la situation à votre ami(e).	« Écoute, je viens de lire dans un magazine une annonce qui va t'intéresser. »
Résumez les informations principales.	• Enfance SOS est une association humanitaire pour aider les enfants abandonnés. • Il y a la possibilité de parrainer un enfant etc.

2. L'ARGUMENTATION	
Essayez de convaincre votre ami(e). Et répondez aux contre-arguments : *Pourquoi cette association plutôt qu'une autre ? L'action est purement symbolique. L'humanitaire devient un commerce. C'est le rôle des gouvernements. etc.*	• « Toi qui cherches justement à participer à une action humanitaire, voilà une bonne idée. » • « Enfance SOS est une association réputée. » • « Aider un enfant en détresse est une belle action humanitaire. » • « Ton argent sert à bâtir l'avenir d'un enfant, à lui donner une chance de s'en sortir. » • « Parrainer un enfant est un don d'amour. » • « Les enfants parrainés restent grandir dans leur pays. » • « Les pays riches se doivent d'aider les pays pauvres. » • « J'y participe moi-même activement. » etc.

III Test 2

A Épreuves obligatoires

Compréhension écrite

Section A	1	C
	2	B
	3	A
	4	D
	5	C
	6	B
	7	A
	8	B
	9	C
	10	C
Section B	11	C
	12	A
	13	D
	14	B
	15	D
	16	B
	17	C
	18	B
	19	D
	20	B
	21	A
	22	C
	23	B
	24	A
	25	B
	26	D
	27	D
	28	B
	29	C
	30	B
	31	D
	32	A
	33	D
	34	B
	35	A
Section C	36	D
	37	A
	38	B
	39	A
	40	C
	41	B
	42	D
	43	C
	44	C
	45	C
Section D	46	C
	47	C
	48	A
	49	D
	50	B

Compréhension orale

Section A	51	B
	52	A
	53	D
	54	E
	55	E
	56	B
	57	A
	58	D
Section B	59	B
	60	C
	61	A
	62	D
	63	B
	64	C
	65	B
	66	A
	67	C
	68	B
	69	A
	70	B
	71	A
	72	B
	73	A
	74	C
	75	D
	76	B
	77	A
	78	B
	79	C
	80	C
	81	A
	82	C
	83	B
	84	A
Section C	85	B
	86	A
	87	B
	88	C
	89	D
	90	B
	91	A
	92	C
	93	D
	94	B
	95	C
	96	B
	97	B
	98	D
	99	B
	100	D
Section D	101	A
	102	B
	103	A
	104	B
	105	B
	106	A
	107	A
	108	A
	109	B
	110	B

Lexique/Structure

Section A	111	B
	112	A
	113	A
	114	D
	115	B
	116	A
	117	B
	118	D
	119	B
	120	A
Section B	121	A
	122	A
	123	C
	124	C
	125	B
Section C	126	A
	127	D
	128	C
	129	B
	130	D
	131	A
	132	C
	133	C
	134	B
	135	C
	136	C
	137	C
	138	B
	139	C
	140	D
	141	D
	142	D
	143	A
	144	C
	145	C
Section D	146	B
	147	D
	148	B
	149	D
	150	A

B ÉPREUVES FACULTATIVES

✔ EXPRESSION ÉCRITE

SECTION A

Lion en fuite à Montfaucon : Hier, à la tombée de la nuit, un gardien de zoo a remarqué que le lion n'était plus dans sa cage. (...)

	Trois exemples de corrigés
Précisez les éléments de la phrase d'introduction.	Alfred, le vieux lion du zoo municipal de Montfaucon, a provoqué hier soir une belle panique dans la ville.
Déterminez un contexte ; décrivez la situation.	1. Le gardien, M. Zouc, effectuait sa visite de routine... 2. Le lion Alfred était encore dans sa cage lors des dernières visites... 3. Les derniers employés quittaient le parc animalier...
Décrivez l'événement qui s'est passé.	1. M. Zouc a découvert la porte détruite et la cage vide... 2. Profitant d'une serrure mal fermée, il s'est enfui... 3. Ils ont signalé la disparition du lion au gardien...
Préparez le dénouement.	1. Il a prévenu aussitôt les autorités... 2. Connaissant l'animal, le gardien a entamé seul des recherches aux alentours... 3. Aidé de son équipe, M. Zouc s'est mis en chasse...
Concluez votre article.	1. Ils ont retrouvé le lion qu'il a fallu abattre... 2. Alfred a été retrouvé endormi dans la cage des éléphants... 3. Le lion a été encerclé et endormi par piqûre...

Remarques

• Le début de l'article est au passé : employez donc des formes verbales à l'imparfait ou au passé composé.

• Il est nécessaire d'articuler le texte par des mots qui permettent d'avancer dans l'histoire : les mots-liens logiques *(mais, parce que, en effet...)* et temporels *(puis, ensuite, enfin...)*.

• Faites attention à la ponctuation et à la disposition du texte en paragraphes.

SECTION B

« Il est mauvais pour les enfants de lire des bandes dessinées. »

	Exemples de corrigés
Introduisez votre lettre par une phrase qui présente le sujet.	1. Je me permets de réagir à l'idée qu'« il est mauvais pour les enfants de lire des bandes dessinées ». 2. J'aimerais apporter quelques réflexions suite à votre article dans lequel vous disiez qu'« il est mauvais pour les enfants de lire des bandes dessinées ». 3. Une phrase, lue dans votre dernier numéro, m'a surpris. Il était écrit : « Il est mauvais pour les enfants de lire des bandes dessinées. »
Donnez des arguments « pour » : *en effet, certes, il est vrai que, c'est ainsi que…*	• Ce n'est pas de la littérature. • On peut regarder les images sans lire les bulles. • C'est infantilisant. • C'est du temps perdu.
Donnez des arguments « contre » : *cependant, en revanche, or, néanmoins…*	• Cela permet une découverte de la lecture. • C'est plus attrayant qu'un livre sans image. • Les enfants peuvent échanger les BD avec d'autres enfants.
Concluez votre lettre : *ainsi, par conséquent, pour conclure, finalement…*	Il faut laisser les enfants lire les livres qu'ils aiment ; il est bon de multiplier les sources de lecture…

Remarques

• Dans chaque partie, pensez à guider le lecteur dans votre argumentation *(tout d'abord, premièrement, ensuite, puis…)*.

• Faites attention à la ponctuation et à la disposition du texte en paragraphes.

• N'oubliez pas que vous écrivez une lettre : pensez aux formules de salutation et à la disposition des différents éléments de votre lettre.

Expression orale

Section A « Recherche d'emploi »

Posez des questions générales : *Où ? Quand ? Qui ? Comment ? Combien ?*	• Quand le poste est-il à pourvoir ? • Quel est l'âge requis ? • Où l'école est-elle située ? • Quel est le salaire ? etc.
Demandez des informations détaillées.	• Quel est le profil du poste ? • Quelle est la langue à enseigner ? • Quel est le type de contrat proposé ? • Quels sont les horaires de travail ? etc.
Demandez des précisions suite aux réponses données par l'examinateur…	**… sur le poste :** • Faut-il déjà avoir enseigné ? • Quel est le public concerné (l'âge des élèves) ? • Est-ce qu'on travaille avec un autre professeur ? etc. **… sur le contrat :** • Y a-t-il une période d'essai ? • Est-ce qu'on peut disposer de jours de congé ? etc.

Section B « Pourquoi être végétarien ? »

1. L'EXPOSÉ DES FAITS	
Utilisez une formule d'adresse adaptée.	L'examinateur jouant le rôle d'un(e) ami(e), vous pouvez utiliser le « tu ».
Présentez la situation à votre ami(e).	« Écoute, je viens de lire dans un magazine un article assez intéressant. »
Résumez les informations principales.	L'article donne quatre bonnes raisons de devenir végétarien.
2. L'ARGUMENTATION	
Essayez de convaincre votre ami(e). Et répondez aux contre-arguments : *L'homme est omnivore.* *C'est une question de goût.* *Les produits bios sont plus chers que la viande.* *etc.*	• « Les maladies liées à la consommation de viande sont de plus en plus nombreuses. » • « On contrôle mal l'industrie de la viande. » • « Tu as déjà visité un abattoir ? » • « Tu aimerais manger ton chat ? » • « Les graisses animales font grossir. » • « Depuis que je suis végétarien, je me sens mieux. » • « Devenir végétarien correspond à une philosophie de vie. » etc.

TRANSCRIPTIONS DES ENREGISTREMENTS

I L'entraînement Compréhension orale guidée

Section A

Exercice 1

1. Là c'est Jacques, le grand à côté de l'arbre, avec un chapeau et un parapluie. On rentrait de vacances et il avait déjà décidé de se laisser pousser la barbe.
2. Voici Éric. C'est une photo prise après une course qu'il avait gagnée ; il faut dire qu'il adore le sport ! C'est bien simple, il porte tout le temps un survêtement !
3. Voilà Paul ; il est assez petit et assez costaud. Sur cette photo, il fêtait son départ dans l'armée de terre, ce qui explique sa coupe de cheveux un peu courte !
4. Eh bien là c'est Hugues ; il travaille dans la mode et comme d'habitude, il porte un costume impeccable. Il coiffait ses cheveux en arrière à l'époque.

Exercice 2

À l'occasion de ce nouveau salon de l'Auto, j'ai l'honneur de vous présenter la nouvelle gamme de voitures *Protée*. Elle se décline sous la forme de cinq modèles performants dans lesquels on retrouve l'expérience et la qualité de notre société. Voici donc ces merveilleuses machines.
– Passe-partout et extrêmement citadine, la *Protée* A, avec sa petite taille, vous permet de vous faufiler et de vous garer sans problème.
– La *Protée B* est avant tout une sportive, légère et agressive, qui va ravir les amoureux de la vitesse.
– Le caractère familial de la *Protée* C est indéniable : spacieuse et confortable, nous l'avons voulue également économique.
– La *Protée D* trouvera, vous vous en doutez, son utilité maximale sur les routes accidentées mais aussi pour les balades dans la nature, hors des sentiers battus.
– Quant à la *Protée E,* je vous laisse la découvrir…

Section B

Exercice 3

• ***Message 1***
Alors Vincent, tu découches ? C'est Maman. Quand est-ce que je peux t'inviter à dîner ? Tu me rappelles dès que tu rentres pour me dire si tu peux venir ce week-end ? Je t'embrasse. Peut-être à samedi !

• *Message 2*
Bonjour Monsieur Durand, Monsieur Petit du garage Renault de Saint-Cloud. À l'occasion du salon de l'Automobile, la régie Renault a le plaisir de vous inviter à visiter son stand. Une coupe de champagne vous sera offerte et vous pourrez participer à une tombola exceptionnelle. J'espère bien vous y revoir. À très bientôt.

• *Message 3*
Bonjour. Aline Cartier, de la société IMPEX. Vous nous avez envoyé un CV il y a quelques semaines et votre profil et votre expérience nous intéressent. Nous aimerions vous rencontrer. Pourriez-vous nous rappeler au 03 47 77 61 23 pour nous confirmer votre candidature et pour fixer une date pour un entretien ? Merci.

EXERCICE 4

• *Message 1*
Le petit Paul attend sa maman à la caisse numéro 6. Je répète : le petit Paul attend sa maman à la caisse numéro 6, à gauche de la porte de sortie du magasin.

• *Message 2*
Nous informons les coureurs que le départ aura lieu dans 45 minutes ; les participants qui n'auraient pas reçu de dossard doivent contacter le commissaire de course immédiatement sous peine d'élimination.

• *Message 3*
Mesdames et Messieurs, dans quelques instants aura lieu, dans la salle numéro 4, la présentation par Myriam Berger et Alain Couturier de leur dernier ouvrage sur la cuisine africaine. Compte tenu des consignes de sécurité, il ne sera pas possible d'accueillir plus de personnes que la salle ne contient de sièges. Nous invitons donc les personnes intéressées à prendre leurs précautions.

EXERCICE 5

• *Information 1*
Les septièmes championnats du monde d'athlétisme se sont terminés hier à Séville : une manifestation dominée par les États-Unis, la Russie et l'Allemagne.

• *Information 2*
Hier en début d'après-midi, une toile signée Camille Corot a été dérobée au Louvre. Environ 20 000 visiteurs ont immédiatement été fouillés et le musée était fermé jusqu'à ce matin.

• *Information 3*
L'usine Michelin de Clermont-Ferrand rentre dans sa sixième journée de grève. Les syndicats ont voté la poursuite de la grève après l'échec des négociations avec le patronat, hier après-midi.

• *Information 4*
À la suite de la tempête record du mois dernier en France, les scientifiques s'interrogent sur l'évolution des conditions climatiques au niveau mondial. En effet, la France bénéficie en général de conditions météorologiques tempérées, et on se demande si cette tempête n'est pas une des conséquences de l'effet de serre causé par le rejet de dioxyde de carbone, dans l'atmosphère, dû à l'activité humaine.

Section C

Exercice 6

• ***Sondage 1 : « Que pensez-vous du cinéma américain ? »***

• ***Personne 1***
Je pense qu'à travers le cinéma, les États-Unis veulent asseoir leur domination sur le monde. C'est la raison pour laquelle je ne vais que très rarement voir des films américains au cinéma.

• ***Personne 2***
Je pense que les Américains sont les seuls à faire des films très intéressants. Je trouve ça dommage mais il faut admettre qu'il n'y a pratiquement aucun bon film qui vient d'ailleurs.

• ***Personne 3***
Écoutez, je pense qu'il faut que vous posiez la question à quelqu'un de plus cinéphile que moi. Je vous avoue que je ne fais pas vraiment attention à la nationalité d'un film quand je le regarde.

• ***Personne 4***
À mon avis, il y a un cinéma américain indépendant de bonne qualité d'une part et le cinéma hollywoodien d'autre part. Celui-là est nettement moins bon.

• ***Personne 5***
Pour moi, le cinéma américain est totalement inintéressant. Il s'adresse uniquement à un public d'adolescents dont je ne fais pas partie.

• ***Personne 6***
Moi, je refuse de catégoriser les films en fonction de leur provenance. Pour moi, il y a les bons films et les mauvais films. C'est le seul critère qui m'intéresse.

• ***Sondage 2 : « Utilisez-vous le français au travail ? »***

• ***Personne 1***
Je partage mon bureau avec trois Québécois, alors évidemment, je parle français au bureau. Surtout qu'on fait un travail d'équipe. Impossible de rester silencieux dans son coin !

• ***Personne 2***
J'ai un ou deux clients francophones, en Afrique de l'Ouest. Ils sont loin d'être mes clients principaux, mais je leur parle malgré tout fréquemment. Comme ils ne parlent pas allemand et que je ne parle pas anglais, je dois me débrouiller en français avec eux.

• ***Personne 3***
Les seuls clients francophones que j'ai sont suisses et ils parlent couramment allemand, alors, bien que je sache parler français, je n'ai aucune occasion de le parler dans mon travail. En revanche, je parle français quand je vais en vacances, une fois par an.

• ***Personne 4***
Ça m'arrive. J'essaie d'éviter car je trouve que mon français n'est pas bon, mais je suis souvent obligé quand mon collègue n'est pas là.

• *Personne 5*
Écoutez, j'ai étudié le français pendant cinq ans et j'aurais beaucoup aimé trouver un emploi où j'aurais pu le pratiquer. Au début, j'ai cherché, et comme je n'ai rien trouvé, j'ai compris que ce ne serait pas au travail que je pourrais entretenir mon français.

• *Personne 6*
Impossible d'y échapper car plus de la moitié de notre clientèle est française. Et puis, vous savez comment les Français parlent anglais ! Alors, j'ai vite abandonné l'anglais avec eux et j'ai bien progressé en français. Pas étonnant, quand on le parle quotidiennement !

EXERCICE 7

A – Centre de vaccinations Bernier, bonjour.
B – Bonjour, Madame. Voilà, je vous appelle pour avoir quelques renseignements. Je vais partir en voyage cet été en Tanzanie et l'agence de voyages où j'ai acheté mon billet d'avion m'a donné vos coordonnées. Je voudrais savoir quelles vaccinations sont obligatoires pour aller dans ce pays ?
A – Alors, avant de partir, vous devez vous faire vacciner contre la fièvre jaune, de préférence un mois avant votre départ. Il faudra vous munir de votre certificat international de vaccination car on vous le demandera à l'entrée dans le pays. Si vous le souhaitez, vous pouvez venir vous faire vacciner dans notre centre.
B – Très bien. Quand est-ce que vous êtes ouverts ?
A – Nous sommes ouverts tous les jours du lundi au vendredi, sans interruption de 10 h 00 à 17 h 00.
B – Je dois prendre rendez-vous ?
A – Non, non, il suffit de vous présenter aux heures d'ouverture.
B – D'accord. Très bien. Merci Madame, au revoir.
A – Au revoir, Monsieur.

EXERCICE 8

Le journaliste – Monsieur Langoureau, c'est quand même une idée surprenante de transformer un tunnel ferroviaire en cave à vin !
M. Langoureau – Je ne suis pas de votre avis. Mes collègues vignerons et moi-même, nous avions besoin d'un nouvel espace de stockage pour les bouteilles sortant de notre coopérative et il était plus intéressant, à tous les points de vue, de ne pas sacrifier des vignes pour construire des bâtiments et des caves. Le tunnel qui se trouve sur notre commune n'était plus utilisé par la SNCF depuis plus de cinquante ans. C'est en 1943 que le dernier train qui faisait la liaison entre Saint-Jean et Montchan l'a emprunté.
J – Mais vous êtes sûr de pouvoir y conserver votre vin aussi bien que dans des caves traditionnelles ?
L – Bien sûr ! N'oubliez pas que le tunnel traverse un massif rocheux. Avec une longueur d'un kilomètre, la température, été comme hiver, y est de douze degrés, et pour la conservation du vin, c'est exactement ce qu'il nous faut. Enfin, le maire de notre commune a pu l'acheter à la SNCF pour un franc symbolique et avec ses dimensions nous pourrons y stocker environ six millions de bouteilles !
J – Nous prenons rendez-vous pour la dégustation de votre première cuvée ?
L – Avec plaisir !

Exercice 9

Quelque part au large de l'Amérique centrale, un homme réalise son rêve : créer de toute pièce un pays où les impôts n'existeraient plus.
Le prince Lazarus veut en effet construire une principauté sur des récifs, dans les eaux internationales de la mer des Caraïbes. La *Nouvelle Utopie*, c'est son nom, serait un paradis fiscal dédié à la libre entreprise.
Ce chef d'entreprise, qui a changé de nom pour celui de Lazarus parce qu'il y avait trop de Robert Turney dans le monde, a été couronné le 1er janvier 2000. Décidé à faire reconnaître son pays, il a déposé une demande officielle au secrétaire général de l'ONU, mais celui-ci attend que la *Nouvelle Utopie* soit véritablement bâtie pour se prononcer. Cette dernière n'existe encore que sous la forme d'un site Internet.
Pour l'instant, 470 personnes ont fait savoir qu'elles désiraient devenir citoyennes de la *Nouvelle Utopie* ; la nationalité est accordée effectivement à quiconque est prêt à acheter un minimum de 1 500 dollars d'actions de la *Nouvelle Utopie*.
« C'est inhabituel, c'est unique, cela n'a jamais été fait auparavant, a déclaré le Prince Lazarus, mais ça ne veut pas dire que cela ne peut être fait ! »

Section D

Exercice 10

Question 48
La décoration, c'est une affaire de goût.

Question 49
J'ai fait le plein.

Question 50
J'ai tout vu.

Question 51
Il a perdu la boule.

Question 52
Ce sont des chaussons.

Question 53
Ceux-ci sont plus vrais.

Question 54
Surveille-les bien !

Question 55
Je vous ai entendu.

Question 56
C'est le 03 57 66 45 20.

Question 57
Enfin, il était vif.

II Test 1 – Compréhension orale

Section A

Questions 51 à 54

A – Bonjour, Madame. Je désire me rendre dans deux jours à Londres. J'aimerais savoir ce que vous pouvez me proposer.
B – Alors, pour Londres, je peux vous faire quatre propositions. Première proposition, vous pouvez prendre l'*Eurostar*. Il s'agit du train à grande vitesse qui relie la Gare-du-Nord au centre de Londres. Le prix est intéressant et cela vous permet de partir du centre de Paris et d'arriver directement au centre de Londres en trois heures. Deuxième proposition, il y a des vols au départ de l'aéroport de Roissy. C'est plus rapide, mais aussi plus cher. Troisième proposition, la moins onéreuse, c'est l'autocar au départ de la porte de la Villette. Les départs se font le soir et il faut compter environ huit heures. Enfin, quatrième proposition, celle qui vous permet le plus d'autonomie, c'est la location de voiture.
A – Très bien, je vais réfléchir. Merci.

Questions 55 à 58

Paul : Oh la la ! Cette semaine, j'ai un emploi du temps très chargé. Lundi, j'ai un rendez-vous chez le dentiste à six heures moins le quart. Il m'avait proposé deux heures, mais comme je travaille le lundi après-midi, j'ai dû lui demander un rendez-vous plus tard. Mardi, je sors. Je vais au ciné avec Martine dans l'après-midi et ensuite on retrouve Anne au Café du Midi. Elle sort de son travail à dix-huit heures quinze. Jeudi, j'ai mon cours de guitare à quatre heures et quart. C'est parfait, car ce jour-là, je termine mon boulot à midi. Enfin, vendredi, je déjeune avec Pierre rue Victor Hugo dans une brasserie. Il a réservé pour midi et demi.

Section B

Questions 59 à 70

• ***Message 1***
Bonjour, Monsieur Durand. Nous avons le plaisir de vous annoncer que vous avez gagné un aspirateur mural. Vous pourrez le retirer à notre magasin *Tout pour la maison*, au 30 Boulevard Voltaire, entre 9 h et 19 h, du lundi au samedi. À très bientôt.

• ***Message 2***
Allô, bonjour, c'est Maman. Merci beaucoup pour l'invitation. Je viendrai, bien sûr, mais je serai en retard parce que j'arriverai de Madrid avec l'avion de 20 heures. À samedi, je t'embrasse.

• *Message 3*
Bonjour, Natacha. C'est Frédérique. Je cherche un prof pour remplacer Joseph qui va partir en mission pour une semaine en Hongrie. Comme tu as cours le matin et lui l'après-midi, j'ai pensé à toi. Tu pourrais me rappeler au secrétariat dès que tu seras rentrée, pour me donner ta réponse ? Merci.

• *Message 4*
Didier, bonsoir, c'est Julie. Bon ! Tu n'es pas là, mais je te confirme notre rendez-vous de demain, à 16 heures, devant l'église. Sois à l'heure ! Je t'embrasse.

• *Message 5*
Ceci est un message pour Monsieur Lenoir de la part de Monsieur Henry. Je suggère que nous reportions d'une semaine notre prochaine réunion car la date choisie ne convient pas. En effet, le 23 juin est la fête nationale du Luxembourg et notre client, Monsieur Berg ne pourra pas se joindre à nous. Merci de me rappeler dans la semaine, à mon bureau.

• *Message 6*
Bonjour, Monsieur Martin, j'ai le plaisir de vous annoncer que vous êtes invité à notre journée spéciale « Cuisines de demain », le 15 mars à partir de 9 h dans notre magasin *Top-Cuisine*, au 14 Boulevard Diderot. À très bientôt.

Questions 71 à 78

• *Message 1*
Mesdames et messieurs, suite à la découverte d'un colis suspect, nous vous invitons à quitter immédiatement les lieux. La direction vous prie de bien vouloir l'excuser et vous invite à revenir faire vos courses dès que les autorités compétentes estimeront que tout danger est écarté.

• *Message 2*
En raison des très mauvaises conditions météorologiques dans l'est de la France, le TGV en provenance de Lausanne aura un retard d'une quarantaine de minutes, à l'arrivée à Paris-Gare-de-Lyon. Nous vous remercions de votre compréhension.

• *Message 3*
Le propriétaire de la Toyota rouge immatriculée 2345 TU 75, je répète la Toyota rouge immatriculée 2345 TU 75, est prié de bien vouloir déplacer son véhicule dans les plus brefs délais. Nous demandons aussi à tous les conducteurs des véhicules stationnés le long du Chemin-des-Lilas de se garer sur les places réservées à la clientèle car nos camions de livraison sont actuellement dans l'impossibilité d'effectuer leur travail. Merci d'avance.

Questions 79 à 84

• *Information 1*
Le ministre des Finances a annoncé hier une réduction du déficit extérieur due en grande partie à la hausse spectaculaire du nombre de visiteurs dans notre pays.

• *Information 2*
Un avis d'ouragan touche la Floride. Alors que, déjà, des pluies violentes s'abattent sur l'État, près d'un millier de personnes ont quitté la région par ferry.

• *Information 3*
L'auteur du double meurtre de Roubaix, Arthur Martin, a été condamné à la réclusion à perpétuité par la cour d'appel de Lille. Aucune circonstance atténuante n'a été retenue par les jurés.

• *Information 4*
Le responsable du département des avions commerciaux de Boeing redoute que la grève d'une grande majorité des ingénieurs et techniciens compromette le redressement financier du groupe. L'arrêt du travail dure depuis cinq jours.

• *Information 5*
Les dirigeants du club de Manchester United ont confirmé ce matin le recrutement du gardien de but parisien, Denis Martin, pour les deux saisons à venir. Le montant du transfert n'a pas été mentionné.

• *Information 6*
Les hommes pourraient avoir peuplé l'Australie 28 000 ans plus tôt qu'on ne le pensait, ont annoncé des scientifiques qui estiment avoir la preuve que les ossements trouvés dans le sud-est du pays sont vieux de près de 68 000 ans.

SECTION C

QUESTIONS 85 À 90

• *Personne 1*
Écoutez, c'est simple, passé 20 heures je ne sors plus. Les rues ne sont pas sûres ; deux de mes amies se sont fait agresser récemment, c'est effrayant. Même chez moi, je ne me sens pas en sécurité et pourtant j'ai une porte blindée et un digicode !

• *Personne 2*
C'est à dire que oui, effectivement, les médias parlent beaucoup des problèmes liés à l'insécurité, ça fait vendre. Maintenant, à savoir si on a raison de s'en inquiéter, bon… c'est un autre problème. Oui, c'est en effet une question qui mérite réflexion.

• *Personne 3*
Vous savez, personnellement, ça fait bientôt dix ans que j'habite ici et il ne m'est jamais rien arrivé. Je sors à n'importe quelle heure du jour et de la nuit et je ne me sens pas menacé pour le moins du monde.

• *Personne 4*
En général, sans vouloir passer pour un paranoïaque, je suis toujours assez méfiant à partir d'une certaine heure et dans certains quartiers… et je ne pense pas être le seul. Donc, pour répondre à votre question, je dirais que non, je ne me sens pas complètement en sécurité.

• *Personne 5*
Alors, ça va peut-être vous paraître étrange vu ma carrure, mais croyez–moi ou non, je panique dès que je suis dans le métro. J'ai peur des attentats, des agressions, des vols à main armée. Les journaux en parlent tous les jours. Même dans ma cage d'escalier, j'ai la trouille.

• *Personne 6*
Mais enfin, on est quand même pas à Chicago ! Franchement je ne comprends pas tous ces gens qui s'angoissent sous prétexte qu'ils vivent dans une grande ville ; c'est n'importe quoi ! Ou alors, peut-être ont-ils quelque chose à se reprocher ?

QUESTIONS 91 À 100

• *Message 1*
Le jazz enflamme la banlieue ce mois-ci ! En effet, jusqu'au 30 mars, plusieurs villes de la banlieue parisienne vivent au rythme du jazz international avec des artistes venus du monde entier. Le festival « Banlieues bleues » s'y tient en effet pour la 17e fois. 57 formations se chargent de faire swinguer 16 villes de la région. Tous les concerts ont lieu à 20 h 30 et les tarifs varient entre 12 et 20 euros. Les points de vente sont les magasins de disques Fnac et Virgin. Vous pouvez également faire des réservations auprès de « Banlieues bleues » au 01 49 22 10 10 et sur Internet www.banlieuesbleues.org.

• *Message 2*
Le journaliste : Lucas Bernardi, bonjour. Cela fait vingt ans que vous courez le monde pour le mettre en photos, et vous montrez une terre des hommes bien différente de celle qui a fêté le passage à l'an 2000 : des êtres désespérés, exclus, exilés, déportés… Elle est vraiment comme ça notre planète ?
Lucas Bernardi : En grande partie, oui. Pendant les sept dernières années, j'ai visité 43 pays et j'ai constaté une fois de plus que, si une petite portion de l'humanité est protégée, riche, si une petite portion bénéficie d'une protection sociale, d'une éducation et se projette dans l'avenir, le reste ne suit pas : 85 % des êtres humains sont balayés par des forces qui les dépassent totalement. Pendant que nous exportons nos technologies, nos capitaux, nos informations, ils vont, eux, dans le sens inverse des flux économiques. Ils fuient. Beaucoup sont candidats à l'exil et cherchent à émigrer. Ce phénomène est inéluctable.

• *Message 3*
C'est aujourd'hui la journée mondiale de la liberté de la presse. D'après le bilan établi par *Reporters sans Frontières* dans son rapport annuel, le nombre de journalistes tués en faisant leur métier est en baisse depuis deux ans, mais la liberté de la presse a régressé dans le monde et il y a toujours autant de journalistes emprisonnés.
Sur les 125 États qui siègent aux Nations-Unies, seulement une trentaine respecterait complètement la liberté de la presse. *Reporters sans Frontières* publie au prix de 6 euros un superbe album signé par le photographe Marc Riboud, à l'intention de tous ceux qui veulent défendre la liberté de la presse. Les produits de la vente serviront à soutenir des actions en faveur de cette cause.

SECTION D

QUESTIONS 101 À 110

QUESTION 101
Qu'est-ce que tu veux, il fait ce qu'il peut !

QUESTION 102
Il n'y a pas de choix.

QUESTION 103
Sa chambre est au-dessus.

QUESTION 104
Il a vendu du bois.

QUESTION 105
Elle préfère l'été indien.

QUESTION 106
Ces cars sont modernes.

QUESTION 107
Nous l'avons bu hier.

QUESTION 108
Tout va bien.

QUESTION 109
Ça coûte cent dollars.

QUESTION 110
Ils entendent mal.

III TEST 2 – COMPRÉHENSION ORALE

SECTION A

QUESTIONS 51 À 54

• ***Objet 1***
C'est un lot très intéressant pour les collectionneurs. Il comporte tous les numéros, du n° 1 au n° 110, c'est-à-dire jusqu'en 1975. Allez, je vous le laisse pour 150 euros !

• ***Objet 2***
Il peut contenir jusqu'à cinq kilos de linge ; il possède un cycle de lavage d'une heure et la programmation est électronique. En plus, il ne prend pas beaucoup de place. Son prix ? 180 euros.

• ***Objet 3***
C'est un modèle assez classique, avec un joli décolleté en dentelle. C'est une taille 40. Ah oui, la traîne est amovible. J'ai acheté le tout 260 euros et je suis prête à le laisser pour 130 euros.

• ***Objet 4***
Comme vous le voyez, elle est en bois massif et elle possède une rallonge centrale. On peut tenir jusqu'à huit personnes. Son prix est à débattre.

Questions 55 à 58

Alors… voici ce que nous vous proposons comme programme pour notre petit voyage.
Au cours de ces quatre jours, nous allons partir à la découverte du sud-est du pays.
Demain lundi nous passerons la journée dans un magnifique parc forestier, le parc du château de Saint-Jean. Vous pourrez y découvrir 150 espèces d'arbres différentes.
Mardi, nous visiterons les vignobles du Ventoux et nous pourrons déguster les bons vins de cette région.
Pour la journée de mercredi, ce sera plus calme : elle est consacrée à la pêche à la truite dans les torrents et les lacs de la région.
Jeudi, nous découvrirons la rivière du Verdon, qui coule dans de magnifiques gorges très profondes, des gorges qui font parfois 700 mètres de profondeur. C'est une véritable merveille, vous verrez !
Et pour terminer, vendredi, ce sera une surprise… mais je vous laisse deviner laquelle !

Section B

Questions 59 à 70

• ***Message 1***
Bonjour, c'est Laurent, je t'invite à une fête pour mon anniversaire samedi soir, chez moi, vers 21 h. Il y aura tous nos copains de fac. J'espère que tu pourras venir. Salut ! À samedi.

• ***Message 2***
Allô, c'est Madame Dubois à l'appareil. Je vous téléphone pour vous dire que je suis d'accord pour le rendez-vous du 10 décembre à 16 heures. Au revoir et à bientôt.

• ***Message 3***
Salut, Vincent. Pas de chance. J'ai bien eu ton message, mais moi non plus je ne pourrai pas t'accompagner chez les grands-parents, ce soir. Tu aurais dû me prévenir plus tôt, j'aurais sûrement pu remettre mon rendez-vous. Mais là, c'est trop juste. Fais leur des bises pour moi. Je t'embrasse. On se rappelle.

• ***Message 4***
Bonjour. Céline Dufour de votre agence EDF-GDF de Massy. Un de nos agents est actuellement sur votre commune qui va bientôt être raccordée au réseau de gaz. Nous souhaiterions donc vous rencontrer pour vous présenter les nouvelles possibilités qui s'offriront à vous, dès la fin de l'année. N'hésitez pas à m'appeler au 01 45 12 34 56. C'est gratuit et cela ne vous engage à rien. Merci.

• ***Message 5***
Nicolas, c'est Marie. Ton frère m'a appris que tu étais malade. J'espère que ce n'est pas trop grave et que tu vas déjà mieux. Je te rappellerai demain. Au revoir.

• *Message 6*
Bonjour. C'est la maison Mathieu. Le buffet que vous nous avez commandé sera finalement prêt un peu plus tôt que prévu. Nous pourrons vous le livrer demain, dès quinze heures. Rappelez-nous si vous souhaitez avancer l'horaire de livraison. Merci.

Questions 71 à 78

• *Message 1*
Mesdames et Messieurs, nous vous informons que l'exposition fermera ses portes exceptionnellement à midi, suite à un mouvement social des gardiens. La direction vous prie d'accepter ses excuses et vous invite à vous rendre aux caisses afin de procéder au remboursement des billets.

• *Message 2*
En raison d'un début d'incendie dans la réserve, nous invitons notre clientèle à évacuer notre boutique, dans le calme, en rejoignant les issues de secours situées sur les côtés. Merci.

• *Message 3*
À tous les habitants de Neuillé. Aujourd'hui et demain à 21 heures, sur la place des Quatre-Saisons, deux spectacles exceptionnels sont donnés dans votre ville, avec Titi et Nana, les deux éléphants d'Afrique, six tigres du Bengale, avec des trapézistes, des jongleurs, des équilibristes, avec les clowns Achille et Zibou… Aujourd'hui et demain, à 21 heures place des Quatre-Saisons. Venez nombreux ! ! !

• *Message 4*
Nous rappelons à tous les passagers que seuls les wagons 15 à 22 vont à Marseille. Pour les voyageurs à destination de Montpellier, veuillez monter dans les premières voitures. Le personnel du wagon restaurant étant en grève, un service ambulant de restauration sera mis à votre disposition. D'autre part, le train étant en surréservation, nous prions les voyageurs sans billet de ne pas bloquer les compartiments. Malgré ces légers inconvénients, nous vous souhaitons un agréable voyage.

Questions 79 à 84

• *Information 1*
À Marseille, les poubelles ne sont toujours pas ramassées. La grève des éboueurs continue.

• *Information 2*
Les meilleurs clubs du rugby français disputent ce week-end la deuxième journée de coupe d'Europe avec, à l'affiche, le déplacement samedi du Stade Français chez les Anglais de Leicester et, ce soir, la venue à Toulouse des Gallois de Swansea.

• *Information 3*
Les conditions de circulation se sont améliorées ce matin sur le réseau SNCF. Quelques difficultés subsistaient en banlieue parisienne et autour de quelques grandes villes. Le mouvement de grève lancé mardi visait à protester contre le projet d'accord sur les 35 heures, mais il perdait de l'ampleur depuis quelques jours en l'absence d'une réelle mobilisation des syndicats.

• *Information 4*
C'est peut-être une nouvelle étape vers la paix en Irlande du Nord. L'IRA a annoncé tout à l'heure qu'elle allait désigner un intermédiaire pour participer aux négociations sur le désarmement. Cette décision devrait permettre la création d'un gouvernement constitué de protestants et de catholiques comme prévu dans l'accord de paix signé en avril dernier.

• *Information 5*
Un Américain a été enlevé la nuit dernière au Yémen. Il était employé par une société pétrolière. Nous n'avons aucune autre information pour le moment.

• *Information 6*
Le temps doux et humide va se poursuivre dans les prochains jours, avec des températures en hausse dans le nord alors qu'elles resteront stables dans le sud, toujours au-dessus des moyennes saisonnières.

Section C

Questions 85 à 90

• *Personne 1*
Pour moi la ville, c'est synonyme de travail alors que la campagne, elle, me fait penser aux vacances… et je préfère les vacances !

• *Personne 2*
J'ai quitté mon village dès que j'ai pu car il n'y avait pas beaucoup d'animation… En plus, j'adore sortir, faire du lèche-vitrines, faire les magasins… Alors retourner vivre à la campagne, jamais de la vie !

• *Personne 3*
En fait, j'ai été obligé, pour des raisons professionnelles, de venir vivre en ville mais je crois que je ne serai jamais un citadin. À la première occasion, je retourne chez moi.

• *Personne 4*
Nous avons choisi, ma femme et moi, d'habiter à la périphérie d'une ville, comme ça, nous profitons des avantages de l'un comme de l'autre.

• *Personne 5*
Ville ou campagne ? C'est le genre de question auquel je n'ai jamais de réponse. Personnellement, chacun fait comme il veut…

• *Personne 6*
Quand je vois la vie que mènent ces gens, je me dis que je suis bien ici : pas de stress, pas de bruit, pas de pollution. De temps en temps, je me rends en ville pour faire des achats, aller au restaurant, mais finalement, ma vie est à la campagne.

Questions 91 à 100

• *Message 1*

L'agent de voyage – Bonjour, Mademoiselle.

La cliente – Bonjour, Monsieur. J'ai besoin de vos conseils. J'ai une semaine de vacances à laquelle je ne m'attendais pas et je n'ai pas eu le temps de m'organiser… Au dernier moment, comme ça, il ne doit pas vous rester grand-chose ?

A – Ça dépend de ce que vous recherchez.

C – Ben, j'hésite beaucoup, parce que j'ai déjà visité pas mal d'endroits, je suis allée un peu partout et je ne tiens pas à faire un voyage organisé – vous voyez – en groupe… J'aimerais faire quelque chose de spécial… Ah, encore une chose : je déteste passer mon temps allongée sur une plage, ou au bord d'une piscine.

A – Vous tombez bien ! Vous connaissez la ville de Fez au Maroc ?

C – Pas très bien.

A – Eh bien, je peux vous y proposer un séjour au moment du festival des musiques sacrées du monde.

C – Ah, ça, c'est original !

A – En plus, vous qui n'aimez pas rester les bras croisés, vous pourrez passer votre temps à marcher dans les ruelles de la Medina… Vous assisterez au travail de tous les artisans… Et puis, vous pourrez aussi vous promener sur les magnifiques remparts qui entourent la ville…

C – C'est exactement ce qu'il me faut ! Du dépaysement.

A – Pour le festival, il faudrait partir vendredi, le 17, dans l'après-midi.

C – Très bien, parfait !

• *Message 2*

Le journaliste : Jean-Pierre Laffont est actuellement à Granges-les-Valence pour le dernier adieu du public à Sophie Star. Qu'en est-il Jean-Pierre ?

Jean-Pierre : Et bien oui, ils sont tous venus pour rendre un dernier hommage à celle qui a su, en quelques années, symboliser le rêve et l'espoir pour des milliers de personnes en France. Sophie Star s'est éteinte mardi soir dans sa petite maison de Granges-les-Valence laissant ainsi orphelins des milliers d'admirateurs. Actrice à ses débuts, on se souviendra d'elle pour sa croisade acharnée contre l'injustice sociale. Fondatrice d'*Une Maison pour Tous*, ses prises de position pour les sans-abris sont désormais dans les annales. Bien qu'elle soit restée dans l'ombre ces dernières années, sa jeunesse tumultueuse et ses rôles ont marqué des générations entières de cinéphiles avertis.

De nombreuses personnalités du monde du spectacle et de la politique ont assisté aux obsèques ce matin. Ni la pluie ni la grêle ne les ont arrêtées. La tombe de Sophie est ornée de milliers de gerbes de fleurs et des derniers messages de ses inconditionnels, qui n'ont pas hésité à faire des kilomètres pour saluer une dernière fois leur idole. Le maire de Granges-les-Valence a déclaré qu'une place serait inaugurée en son honneur l'année prochaine.

• *Message 3*

Le journaliste : Nous avons avec nous aujourd'hui Michel Lecaque, notre spécialiste en économie qui va nous parler de la santé des entreprises. Qu'y a-t-il de nouveau dans le monde des affaires, Michel ?

Michel : Sans aucun doute, l'émergence de ce qu'on appelle communément le « e-business » qui a récemment dopé de nombreuses entreprises françaises et qui les a poussées à accorder un budget grandissant à leur dépense de communication, voire à créer de nouvelles stratégies communicatives, tant externes qu'internes. Il est difficilement envisageable de créer une entreprise prestataire de services ou autres, sans penser en même temps au site Internet qui l'accompagne. En conséquence, les entreprises de développement Internet sont submergées par la demande et voient en ce moment leurs actions en bourse s'envoler, si forte est la foi en l'avenir du commerce électronique. Il faut cependant être prudent, dans les années à venir, neuf sur dix de ces nouvelles entreprises seront condamnées à disparaître.

Pour vous donner une idée, ces deux dernières années, déjà un tiers des Américains ont fait leurs emplettes de Noël sur Internet, boudant les gigantesques complexes marchands. Ce qui est très révélateur.

J. : Ce virus est-il transmissible ?

M. : Oui, d'après les divers experts et analystes en la matière, il semblerait que l'Europe soit effectivement un marché porteur et que bon nombre de compagnies étrangères l'aient déjà choisie comme cible pour leurs futurs investissements.

Section D

Questions 101 à 110

Question 101
C'est bien frais.

Question 102
J'ai fait tomber ma bêche.

Question 103
Il faut que vous l'épousiez.

Question 104
Tout ce qu'il prend, il le casse.

Question 105
Je n'aime pas beaucoup les oranges.

Question 106
C'est fou ce que tu me racontes !

Question 107
Ces outils ont cinq mille ans.

Question 108
Hier soir, nous sommes allés au bal.

Question 109
La production de lait a chuté cette année.

Question 110
Écoutez bien, il y a deux bruits.

Types d'exercices classés par objectifs

	Entraînement *(numéros des exercices)*	Test 1 *(numéros des questions)*	Test 2 *(numéros des questions)*
Compréhension écrite			
Reconnaître la nature et la fonction de documents simples	1, 2, 3	1 à 10	1 à 10
Comprendre des documents de niveau élémentaire[1]	4	18 à 20, 29 à 31	25 à 27
Comprendre des documents de niveau intermédiaire[2]	5, 6	11 à 17, 25 à 28	11 à 24
Comprendre des documents de niveau supérieur[3]	7	21 à 24, 32 à 35	28 à 35
Reconstituer des textes à trous	8	36 à 40	36 à 40
Remettre des textes dans l'ordre	9	41 à 45	41 à 45
Reformuler des phrases	10	46 à 50	46 à 50
Compréhension orale			
Associer des illustrations à des messages	1, 2	51 à 58	51 à 58
Comprendre des messages sur répondeur téléphonique	3	59 à 70	59 à 70
Comprendre des annonces dans les lieux publics	4	71 à 78	71 à 78
Comprendre des informations courtes à la radio	5	79 à 84	79 à 84
Comprendre des opinions données lors d'un sondage	6	85 à 90	85 à 90
Comprendre des interviews, débats ou conversations	7, 8, 9	91 à 100	91 à 100
Reconnaître des sons	10	101 à 110	101 à 110
Lexique et structure			
Compléter des phrases avec le vocabulaire approprié		111 à 120	111 à 120
Substituer un mot ou une expression dans un texte		121 à 125	121 à 125
Compléter la structure des phrases		126 à 145	126 à 145
Repérer les erreurs dans un texte		146 à 150	146 à 150
Expression écrite		*pages*	*pages*
Raconter la fin d'une histoire		62	87
Exprimer son point de vue et argumenter pour le défendre		62	87
Expression orale			
Recueillir des informations auprès d'un interlocuteur		63	88
Exposer des faits		63	88
Argumenter pour défendre un point de vue		63	88

1. Comprendre en détail des documents simples / faciles.
2. Comprendre en détail des textes de difficulté moyenne.
3. Comprendre en détail des textes assez difficiles / complexes.

Fiche de réponses du Test 1

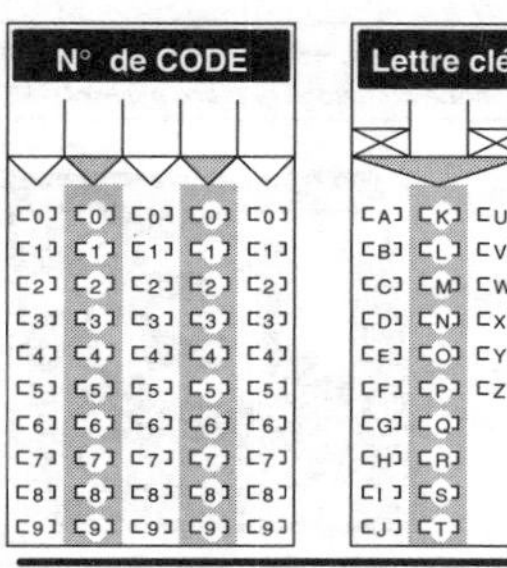

POUR REMPLIR CE DOCUMENT :
Utilisez un stylo bille ou une pointe feutre noire ou bleue.

1. Pour cocher les cases :

2. Répondez sur la première ligne.

3. Si vous désirez modifier votre réponse, répondez sur la deuxième ligne.

4. Si vous désirez annuler vos réponses, cochez les cases des deux lignes.

F.O.36
Fiche Optique conçue et réalisée par **ProQCM**

Compréhension Écrite

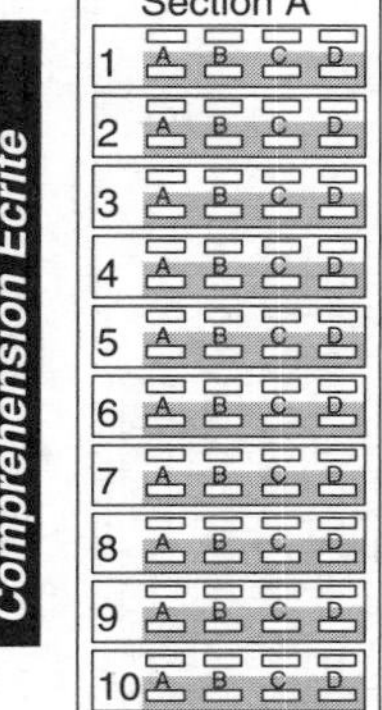

Section A : 1 à 10 (A B C D)

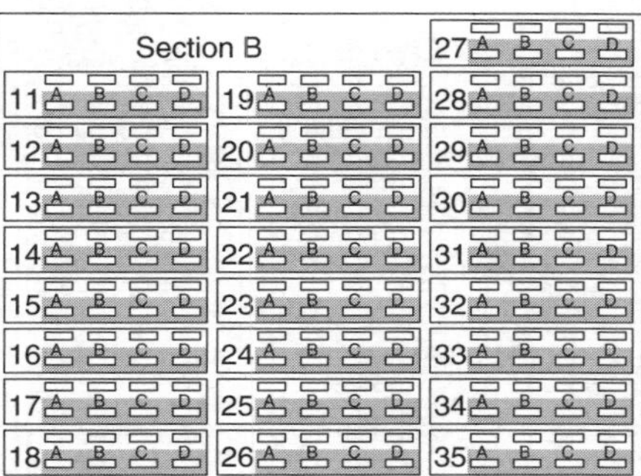

Section B : 11 à 35 (A B C D)

Section C : 36 à 45 (A B C D)

Section D : 46 à 50 (A B C D)

Compréhension Orale

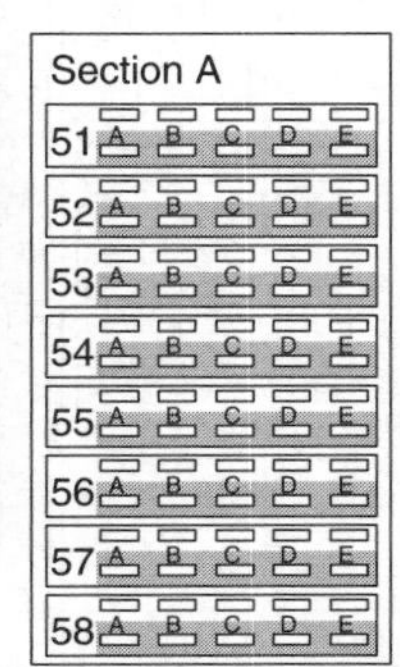

Section A : 51 à 58 (A B C D E)

Section B : 59 à 84 (A B C D)

Section C : 85 à 100 (A B C D)

Section D : 101 à 110 (A B)

Lexique et Structure

Section A : 111 à 120 (A B C D)

Section B : 121 à 125 (A B C D)

Section C : 126 à 145 (A B C D)

Section D : 146 à 150 (A B C D)

Signature :

NE RIEN INSCRIRE DANS CE CADRE

DM	0	1	2	3	4	5	6	7	8	9
M	0	1	2	3	4	5	6	7	8	9
C	0	1	2	3	4	5	6	7	8	9
D	0	1	2	3	4	5	6	7	8	9
U	0	1	2	3	4	5	6	7	8	9

Fiche de réponses du Test 2

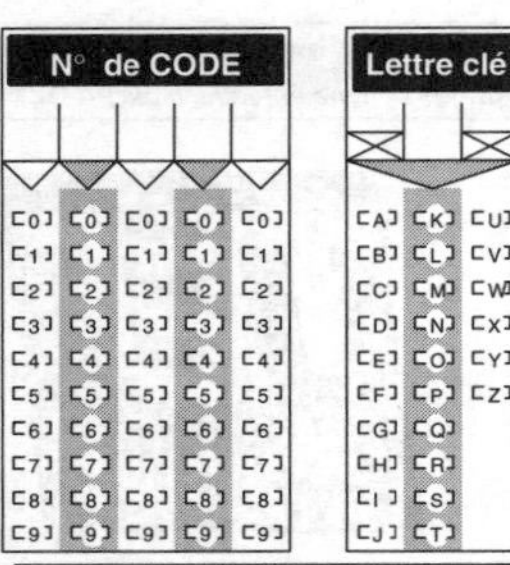

POUR REMPLIR CE DOCUMENT :
Utilisez un stylo bille ou une pointe feutre noire ou bleue.

1. Pour cocher les cases : Bon / Mauvais

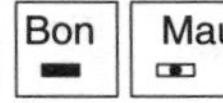

2. Répondez sur la première ligne.

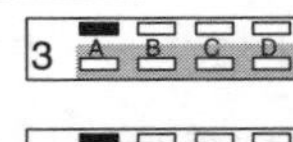

3. Si vous désirez modifier votre réponse, répondez sur la deuxième ligne.

4. Si vous désirez annuler vos réponses, cochez les cases des deux lignes.

F.O.36
Fiche Optique conçue et réalisée par **ProQCM**

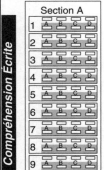

Compréhension Écrite

Section A : 1–10 (A B C D)

Section B : 11–35 (A B C D)

Section C : 36–45 (A B C D)

Section D : 46–50 (A B C D)

Compréhension Orale

Section A : 51–58 (A B C D E)

Section B : 59–84 (A B C D)

Section C : 85–100 (A B C D)

Section D : 101–110 (A B)

Lexique et Structure

Section A : 111–120 (A B C D)

Section B : 121–125 (A B C D)

Section C : 126–145 (A B C D)

Section D : 146–150 (A B C D)

Signature :

NE RIEN INSCRIRE DANS CE CADRE

DM / M / C / D / U : 0 1 2 3 4 5 6 7 8 9

Imprimé en Espagne par UNIGRAF - Dépôt légal : 09/2008 - Collection n°48 - Édition n°03 - 15/5166/2